联合国亚洲和太平洋地区经济和社会委员会

提高公众节水意识指南

水资源系列丛书
第 81 号
联 合 国

陈霁巍　韩育红　黄国芳　孙　凤　王建华　译

黄河水利出版社

图书在版编目(CIP)数据

提高公众节水意识指南/联合国著;陈霁巍等译.
郑州:黄河水利出版社,2004.11(2009.3 重印)
书名原文:Water Conservation:A Guide to Promoting Public Awareness
ISBN 7 - 80621 - 835 - 1

Ⅰ.提… Ⅱ.①联…②陈… Ⅲ.节约用水-普及读物 Ⅳ.TU991.64 - 49

中国版本图书馆 CIP 数据核字(2004)第 099508 号

出 版 社:黄河水利出版社
    地址:河南省郑州市金水路 11 号   邮政编码:450003
发行单位:黄河水利出版社
    发行部电话及传真:0371 - 6022620
    E-mail:yrcp@ public. zz. ha. cn
承印单位:河南新华印刷集团有限公司
开本:850 mm × 1 168 mm   1/32
印张:4.625   插页:8
字数:116 千字   印数:1 001 - 4 000
版次:2004 年 11 月第 1 版   印次:2009 年 3 月第 2 次印刷
书号:ISBN 7 - 80621 - 835 - 1/TU · 46   定价:10.00 元
著作权合同登记号:图字 16 - 2004 - 35

致　　谢

　　《提高公众节水意识指南》是在尤瑞·斯特克洛夫先生指导下,由联合国亚太经社会环境和自然资源发展处编撰完成的。主要作者是彼得·赫波特生先生。约翰·理查德生先生也做出了很大的贡献,在他的协助下,此书才得以从草稿成为最终发表的作品。

　　该指南的编写还要大力感谢来自亚太地区的多个国家的水行业部门、国际组织和用水服务公司等各方面的专家所做出的可贵贡献,非常感谢他们的大力协助。

序

　　水是人民生活、社会生产和生态维系所必需的基础资源之一。我国是一个水资源相对短缺的国家，人均水资源量仅为世界人均水平的1/4，而且时空分布不均，随着经济社会和生态环境用水需求的不断增长，水资源供需矛盾日益突出。为实现经济社会可持续发展的水安全保障，节水型社会建设将是一条必由之路。党和国家领导人对此十分重视，胡锦涛总书记指出要积极建设节水型社会，温家宝总理明确提出要全面推进节水型社会建设，大力提高水资源利用效率，这既充分说明了建设节水型社会的重大意义，也为我们推动这项工作指明了方向。

　　节水型社会建设是一项庞大的社会系统工程，管理体制、节水机制、经济投入、技术水平和节水意识等因素，都会影响建设进程和成效。节水型社会建设需要全社会共同参与，而主动节水与被动节水无论是在节水效果或是其可持续性上都存在本质区别，因此公众的节水意识直接影响各行各业的节水效果，甚至关系到节水型社会建设的成败。我国在推进节水和节水型社会建设过程中，也意识到了提高公众节水意识的重要性，并采取了多种宣传和教育措施，取得了一定的成效，但总体说来，公众节水意识还需进一步增强。

20世纪全球用水增长速度是人口增长速度的两倍，水资源短缺成为当前许多国家社会经济发展过程中所面临的一个普遍问题，各国纷纷采取多种方式致力于水资源的高效利用，包括提高公众的节水意识，并取得了一系列宝贵经验。为提高在制定和实施节水意识规划、制度和活动上的能力，联合国亚太经社会组织编写了《提高公众节水意识指南》一书，于2002年12月在菲律宾召开的主题为"提高公众节水意识"的东南亚次区域研讨会上进行了研讨和宣传，普遍反响良好。

该书具有以下特色：一是较为完整地提出了提高公众节水意识的基本框架，具体包括制定规划、项目实施、监控与后评价三大部分内容；二是系统地介绍了各分项过程的具体实施步骤，使总体框架具备了相应的可操作性；三是论述过程中穿插了大量生动的例子，从而提供了许多实用的信息。此外，该书在编写过程中既考虑到了面向对象的公众性，保持了良好的专业性和知识性，使读者和作者在交流中就完成了学习。

他山之石，可以攻玉。尽管该书所提出的提高公众节水意识的框架和过程，并不一定可以完全移植到我国节水型社会建设过程中来，但在学习和消化的基础上，结合我国国情，借鉴国际先进的理念和做法，对于转变我国公众节水观念、提高公众节水意识必然会有很好的帮助。在我国节水型社会建设处于试点探索的关键时期，及时将这本小册子编译出版，是一件很有裨益的事情，在此我也很乐意将此书推荐给大家。

水利部副部长

2004 年 6 月 11 日

前　言

　　水是我们共同拥有的、需要我们世代相传的财富。但是发展趋势显示,在亚太地区,由于日常生活和工农业用水量的不断递增,对淡水资源造成的压力也在以惊人的速度增加。严重的污染问题使我们的淡水储备逐渐减少。因为水资源问题恶化,造成了严重的经济、社会和环境后果。在地区内的某些地方,缺水、恶劣的卫生情况及污染控制不足等问题造成了饥荒、疾病和社会压力,尤其对贫困人口的影响最大,他们是最先被波及也是受害最大的人群。目前所面临的最严峻的挑战是,几亿人都无法得到安全饮用水,也没有足够的卫生条件。毫无疑问,水是一个关键的因素,但却没有得到足够的重视,这就需要那些致力于水资源开发和管理的所有参与者尽快加强对此问题的重视。

　　由于开发活动致使取水量不断增加,可获取水量不断减少,因此缺水问题越来越严重,水安全也逐渐成为全球关注的问题。2000 年 3 月在海牙召开的第二届世界水论坛部长级会议,呼吁在 21 世纪解决全人类的水安全问题。水安全基本上是指每个人都能够负担和得到足够的安全用水,在健康的、具备生产力的情况下生活,同时也促进社会可持续发展和政治稳定性。这是管理水资源的所有利益相关者采取行动的共同目标,政府要在这项工作中起到关键作用。

在亚太地区的很多国家,水正在迅速成为一种稀缺的资源,但浪费水的情况仍在继续。如果在未来十年内目前的浪费用水模式仍然没有改变,那么地区内大部分人口很有可能将生活在缺少维持基本需求的清洁水的压力下。因此,节水是缓解水资源压力并实现可持续发展的首要办法。为了达到安全和可持续用水的未来目标,必须提高目前的供水效率。目前人们广泛意识到,节水活动(包括为工农业引进节水技术)、减少水损失的项目、废水再利用以及开展增强公众合理用水意识的活动都能产生实质性的节水效果。这样,节约下来的水就能提供给那些无法获得可持续用水服务的贫困人群,同时也可以把那些开发新水源的昂贵项目向后延缓至少几年的时间。

提高公众意识是解决水环境恶化、为社会和经济可持续发展而保证足够的供水的首要任务之一。为提高用水效率,公众获取信息和教育是重要的节水措施之一。增进公众的理解也是非常必要的,以此可以争取大众对有关水资源开发和管理及特殊水工程的政策和项目的支持。尽管在地区内的有些国家,有关节水的公共教育项目和活动已经获得了成功,但总体上对我们在水领域面临挑战的了解程度仍然很低,对水资源问题的认识与亚太地区很多国家教育日程上确定的进度不相符。政府应在提高公众意识上起到关键的作用,发动和指导这类项目和活动。

为了支持那些有兴趣致力于提高全民(从学校学生到决策人)节水意识的政府,亚太经社会(ESCAP)在日本政府的资助下,在那些节水对确保可持续发展有重要战略意义的亚太经社会成员国中,实施了一个提高社会公众的节水认识和形成更高一层节水意识的项目。项目的成果之一就是在来自地区内多个国家的专家的协助下,亚太经社会编撰了《提高公众节水意识指南》,并在亚太经社会近期的水资源系列专刊上出版。该指南充分反映了各国在提高公众节水意识上的经验,不仅充实了本书内容,而且指南中提出的建议也更适用于亚太地区各种不同的社经情况。希望该指南能帮助提高社会公众的节水意识,并使人们更好地了解水对日常生活和可持续未来的价值。

该指南也是亚太经社会为 2003 年国际淡水年所做的一个贡献。联合国大会在 2000 年 12 月 20 日第 55/196 号决议中宣布 2003 年为国际淡水年,呼吁联合国系统及其他所有有关方面于该年强调淡水的重要性,并在地方、国家、地区和国际各层次采取推广行动。为了保证在可持续基础上使所有的人都能通过平等的途径获得足够的淡水,我们必须从现在就开始采取行动。

金学洙
亚太经社会执行秘书

缩 略 语

ADB	亚洲开发银行
AWWA	美国水工程协会
EPA	联合国环境保护署
ESCAP	亚太经社会
IWA	国际水协会
IWRM	综合水资源管理
NGO	非政府组织
NRW	非赢利性用水
OFWAT	用水服务办公室(英格兰和威尔士私营水公司的协调单位)
SWOT	优势、劣势、机会和威胁
UNESCO	联合国教科文组织
UNICEF	联合国儿童基金会
WCA	节水意识
WHO	世界卫生组织
WWF	世界野生动物基金会
mm	毫米
m^3	立方米
km^2	平方公里
km^3	立方公里(常用于计量量大的水)

目　录

概　要

一、简介

由于人口增长而使有限的资源用量的持续增加,以及由于管理不善、森林砍伐和污染的加剧而使资源可用量的减少,淡水安全正成为一个全球性问题。为使未来的水达到安全和可持续性,需要提高目前供水和用水的效率。

在亚太地区,除一两个明显的例外,共同的情况是,多达50％已处理的管道水在分送中损失或在使用中浪费。发展中的节水理念,即更有效率地利用现有的水供给,将使昂贵的新的开源工程取消或至少可推迟几年施工。

节水是指采取措施有效地使用水。节水有两部分内容:水源节水——原生水从水源开始的有效管理、蓄水、配水和调水;供水节水——输水过程中将损失降到最小,且用水过程中没有水的浪费现象。

节水意识(WCA)就是要理解从水源到用水户的各个阶段都需要合理有效用水,从而改变人们对水管理和用水的态度与行为。亚太地区仅有几个国家成功地增强了节水意识,该地区整体的节水意识还是很淡漠。

本指南在制定为提高管道供水用户的节水意识框架之前,阐述了节水意识在水资源综合管理中的重要性。尽管大部分的建议可适用于农业这个最大的用水户,但并未专门对农业节水进行详细的描述。本指南提倡一个多步骤的框架,以准备一整体战略和设计及实施增强节水意识的活动,并监测和评估其效率。各国将需要改写有关建议以适应其社会、经济和文化发展的需要。

本指南是针对三个读者群体，即政治家和政策制定者、水规划与管理人员以及社会经济学家和教育工作者。目的是帮助这些群体理解饮用水供给方面所需的节水知识以及如何去做，以使他们对社会来说能够作为一个整体来参与增强节水的意识。

二、节水意识策略准备

政府首先应制定一个宽广的节水国家策略，这意味着，持续的水资源需求需要全国性的节水努力以达到供需平衡，它也要求综合水资源管理（IWRM）及促进节约——改善需方管理以减少浪费，并引进供方管理以限制损耗。

为准备一个增强节水意识的详细策略，现推荐一个共12步的节水步骤：

第一步——成立管理委员会（或局）来组织增强节水意识。除水利专业人员外，还需要在社会营销、公共关系、教育和大众传媒方面拥有技能的人员。

第二步——明确利益相关者。对那些策略的准备和实施及其成败的直接利益方的意见加以考虑，将改善提高公众节水意识的效率。

第三步——分析政策问题。应当分析关于政治承诺、制度的优势和弱势、缺水的原因及真实水价的承受能力等问题，以帮助节水意识策略的发展。

第四步——研究地域因素。本指南推荐的节水意识策略应当适合当地的政治、社会经济、文化、法律、环境和地理因素。

第五步——明确目标群体。增强节水意识的初始主要目标群体如政治家、水专业人员、社团领导、教师、媒体和非政府组织，将在公众中帮助推动此事。

第六步——确定合作伙伴和赞助单位。合作伙伴和赞助单位可以包括政府机构、供水单位、非政府组织、类似的活动组织者、专业协会，以及希望提升社会责任形象的私营企业。

第七步——认同目标和关键用语。作为设计特殊活动的第一步，委员会应当准备增强节水意识的目标和关键用语，活动通常有两个阶段，即提高意识阶段和启动行为的变化阶段。

第八步——确定增强节水意识的活动内容。使用合理的计划框架制定出详细的活动内容：对每一个人来说，什么是需提高的问题，哪些是重要的宣传用语，什么是向大家宣传的最适当方式。

第九步——确定传播目标和时间表。应该用五年时间实施提高节水意识项目以取得较好的节水效果，期间针对可预见的行为变化举办一些短期的宣传活动。

第十步——确定预算，落实资金。应当根据合理的效益成本比来制定预算和财务计划，并与政府、合作伙伴和可能的赞助商讨论资金的落实事宜。每年的活动通常要花费供水机构预算的几个百分点。

第十一步——建立项目组。一旦提高节水意识项目的资金得到落实，管理委员会应当聘用一个项目总经理并建立项目组来实施具体的工作。每个项目组最佳人数为4～8人。

第十二步——项目的实施。在第三章将详细说明。

三、节水意识项目的实施

(一)各种组织在节水意识项目中的职责

节水意识项目的实施需要各个方面的行动。一个必要的先决条件是明确三级政府(中央、省及当地)在影响水及提高节水意识项目方面的职责。

(1)中央政府应在提高节水意识方面作出承担义务的示范，如舆论宣传活动及对一些重要节水事件的处理应由高层领导出面。中央政府也应当提供一个更有强制力的水法并确保有关部门和组织机构实施良好的内务管理及有效用水。

（2）对于负有水管理方面职责的省及当地政府，也应该共同努力并积极地促使节水意识的提高。

（3）节水应从水源抓起，流域管理机构必须积极支持有关提高节水意识的各种活动。

（4）供水机构必须减少和控制供水网中的无效耗水量。如果用水户觉察到他们的供水机构的低效和浪费行为，那么要求需水方节水是不太可能成功的。

（二）社团的参与

对于在基层寻求一种自始至终提高节水意识的成功途径，社团的参与是必需的。社团需要了解基层的水问题并建立与基层领导沟通的渠道。

通过把基层的意见、价值观和对水利用的期望值放到决策中考虑，社团的参与为节水意识项目赋予了更多的意义。这也鼓励了社团长期参与项目的积极性，并表达了社团希望项目成功的愿望。每个社团都要有一个积极分子作为协调人，并由主办单位（如非政府组织）提供管理方面的支持。

（三）教育和信息项目的开展

教育和信息对提高节水意识也很重要。本指南针对三类人——供水方、用水户、儿童和学生，但理论上也适用于农业用水户节水意识的提高。

（1）供水方负责供水的计划和管理，他们必须懂得淡水是有限的资源，对国家的整体经济发展非常重要。教育应以节水意识管理委员会组织的研讨会和专题讨论会为依托，选送一些教职员到具有浓郁节水文化氛围的国家参加中短期的技术或专业发展课程的培训。

（2）本指南中的用水户是供水设施的公众用户，他们用水的行为应当有所改变，以适应节约和有效用水的要求。

对于家庭用户,应向他们提供实用的节水建议、节水设施的详细情况以及供水服务的实际费用等,这些信息可附在水费单里或单独投寄给用户。应免费向大型用水户提供用水审计资料。

对于工业用户,应向其说明节省成本对产品价格以及产品竞争力产生的影响。可宣传好的范例,并邀请用户到大型用水企业进行参观,告诉他们如何节水。还应推广减少废水的项目,以此证明高效用水的设备和良好的管理可以减少用水量与废水量。

对于商业用户,应向其说明从耗水量中可以节省很多的商业成本。可对用水进行审计,宣传有关节水设施的信息。减少废水的项目也非常有效。

对于公共机构用户,应鼓励其在政府组织的节水意识政策中成为好的范例。除了政府根据其组织职能提供的信息外,还可进行用水审计和建议他们使用节水设施。

(3)对儿童和学生的教育是为了使将来的社会具备良好的节水意识。这也可以帮助教导现在的社会,因为孩子们回家后会向家人说到他们所学到的东西。中小学、大专和大学可根据以下需要设置正式和非正式的中高级课程。

关于课程的制定和确定教授课程的方法,必须由管理委员会和教育官员共同来做。经验表明,对水的认知和节水教育最好与现有课程相结合来教学,互动的和亲身实践的方式是教育儿童的最好方法。

教学材料最好由水专家和教育专家以及图文设计者共同来制作。拼图游戏、棋类游戏、小测验、录音带、CD、幻灯片和故事书以及流行电视节目或连环画主角都会非常有用。

教师必须进行事先培训,并为其提供课程指导、背景资料、学生作业以及其他所需的课程材料。

用水服务机构的支持是很有意义的。他们可以向老师和学生提供教学材料,建立学生参观中心和举办巡回展览,组织参观供水设施,并向学校推荐专家做客座演讲。他们还能为教师提供短期培训课程,为较大的孩子提供假期工作经验。

提高节水意识工作中需要特别的技术和技巧,特别是社会营销和交流技巧。社会营销的说法来自于商业营销,不同之处在于前者推销的是一种理念,而后者是商品。这需要高层次的社会意识,需要找到适合的交流手段来适应各个市场的情况,成功地把理念推销给特别的顾客。必须对每个市场的情况进行分析,以便使用正确的交流方式。

交流手段包括:交谈、大众宣传和公共关系、教育、信息传播、促销、用吸引人的包装和介绍来推销商品、广告、展览以及建立公司身份和品牌标识。

也需要与媒体合作的技巧和经验,因为节水意识活动如果设计不合理也可能会失败。政府和用水服务单位的公共关系部门应花些时间寻求媒体的支持,对他们的工作人员做有关水和进行节水意识的必要性的教育。

进行节水意识活动还可以给用水服务单位一个进行能力建设的机会。大多数服务单位最初需要利用外界的一些社会营销和交流技术,但通过学习就可以提高自身的能力。

妇女可以在节水意识活动中扮演非常重要的角色,因为她们大都是家庭用水的管理者,能把可能的先进技术和理念用到家庭及社会生活中。许多亚太国家的妇女组织都扩展了其在社区生活中的工作范围,以此来帮助宣传节水意识理念。

帮助受教育程度低的人群需要技巧,更多的是通过人与人之间的交流以及广泛使用有图解的宣传材料。已经识字的儿童可以帮助他们不识字的父母来了解节水知识。

除了自愿的节水行为外,还需要强制执行与节水有关的法定标准和规章制度。应用简单、通俗易懂并有图文说明的材料来向所有用水者普及法律,以便他们理解。为便于公众监督,还应提供完整的规章材料。经过一段时间,应让公众相信,如果自愿节水做得不够的话,将强制执行法规。

四、效果监测和评估

为保证在政治和财务上对增强节水意识活动的支持,有必要对活动的投入和结果进行监测和评估,以此来证明活动的积极效果。监测和评估费用应在最初的预算中就考虑到。

有两个相互关联的方面需要监测和评估:项目自身的推广和获得的成果。前者是项目管理的一部分,以便进行合理的调整使项目保持在正常的轨道上,后者需要更多的精力,但对证明项目的成功与否是必要的。项目成果大小在很大程度上取决于项目的推广工作,这就是为什么要同时监测这两方面的原因。

进行成果监测和评估需要在项目前期制定基准。量的基准(供水量和消耗量)一般可从历史数据中推算出来,而质的基准(用水者的意识水平、观点和行为)则必须通过基本的社经调查来评估。跟踪调查可以每年进行,以检查质量指数的变化。确定减少的用水量可能需要特别的技术,比如监测某个水表的消耗量,并减去消耗量的合理增加和季节变化带来的影响。

用水服务单位应使用执行指标来评估供方在效率上的改进情况。非赢利性用水量、生产单价和消费者投诉数目是可以利用的典型指标。

五、建议

(1)在水资源压力逐渐加大的今天,政府和供水服务单位应采用并向所有供水者和用水者推广节水文化。

(2)节水应与水资源开发一并进行,为了实现有效的可持续性管理,应采取综合的管理方式。

(3)政府、公众以及私营供水单位应在推广节水意识活动中起到主导作用。

（4）除了水专家以外，设计和推广增强节水意识活动还需要在社会营销、教育和交流方面的人才。

（5）应在总体计划中考虑推广增强节水意识活动的监测和评估工作。

（6）也不能忘了供方的节水行为，应通过对执行指标的评估来监测供水服务单位取得的成就。

（7）此书提供了一个框架，应在此框架下制定、执行、监测和评估增强节水意识推广项目，或审核正在实施的项目的内容和方式。

第一章 引 言

一、编写本指南的目的

编写本指南的目的是提高人们的节水意识,并说明节水是 21 世纪可持续水资源管理的重要内容。一些地区在解决水资源供需平衡,即全世界所面临的挑战的问题的同时,也应该从其他具有同样问题的地区总结经验教训。

节水是指采取措施减少不必要的大量用水、用水损失和水的浪费现象,从而使用水更加合理有效。节水表现在两个方面:水源节水——原生水从水源开始的有效管理、蓄水、配水和调水;供水节水——输水过程中将损失降到最小,且用水过程中没有水的浪费现象。

节水意识就是要理解从水源到用水户的各个阶段都需要合理有效用水,从而改变人们对水管理和用水的态度与行为。

本指南阐述了节水意识在水资源综合管理中的重要性,并且特别制定了增强供水阶段节水意识的框架。在本引言之后,将分三章对增强节水意识的框架进行讨论,即

第二章:制定增强节水意识的战略

第三章:节水意识项目的实施

第四章:效果监控与评价

最后,在第五章对亚太地区的国家在制定和实施他们自己的节水意识规划方面得出了结论,并提出了建议。大家都知道,每个国家都需要对提议的规划进行不同程度的调整,以适应其社会、经济和文化发展的需要。所以本指南只提供了一个框架,详细内容

可根据要求进行调整。

二、指南的阅读对象

为了产生好的效果,节水意识主要是针对各级社会人士,包括政府和水利部门的政治家与政策制定者以及专门负责管理水利部门和最终用水户的人员。

增强节水意识包括传达、教育、告知以及买卖节水信息。它是将用水户置于规划的核心地位,确保决策制定者和水管理人员参与规划的制定,同时要求社会经济学者和有关教育的专家成功培养用水户的节水意识,并使他们采取节水措施。

编写本指南的目的是在以下三个阅读群体中培养节水意识,然后将这些意识进行适当调整后在全社会进行推广。

(1)需要了解节水意识在提供社会经济和环境效益的同时,如何解决水资源短缺问题的政治家和政策制定者。作为技术专家和广大群众之间的催化剂,这些政治家和政策制定者起着重要的作用,特别是在增强部门之间在节水领域的合作方面尤其如此。

(2)致力于规划、开发和管理水利系统的管理人员和专家,包括在可持续环境领域工作的管理人员和科学工作者。编写本指南的目的是向这群人说明将节水技术纳入供水系统详细规划和开发的重要性,以及如何运用社会市场技术增强管理需求的意识。

(3)对水利了解不多,但却是公共关系、通讯、经济和教育方面专家的社会经济学家和教育工作者。本指南向这群人说明其各种技术是如何在公众增强节水意识中发挥作用的。

这三个群体中可能包括很多领域甚至组织。如果框图 1-1 中包括你所从事的领域或组织,那么本指南就是为你准备的。

三、转变对水管理和用水的态度

许多人都知道人的生命离不开水。人们的生活,包括个人用水(饮用水和卫生用水)、食物的生产和制造以及工业、商业和研究机构发展都离不开水。但是很少有人知道为什么很难向世界上的社区提供充足的清洁水和卫生设备。自雨水从天而降之后,为什么会花费如此高额的费用去管理和配送水。

框图 1-1　本指南的读者群

专家队伍	组织或部门
对水感兴趣的政治家	总统或首相的办公机构
政策制定者	政府部委和部门
与水有关的立法人员	有关机关和机构
水资源规划者和管理者	—— 环境
供水规划者和管理者	—— 水资源和供水
节水专家	—— 国家经济发展
需水管理专家	—— 公共设施
环境卫生和公共卫生管理人员	—— 农业和灌溉
可持续开发规划者	—— 新闻与公共关系机构
教育专家	—— 地方水管理委员会
教师和讲师	—— 流域机构
公共关系和传媒专家	—— 教育
销售和市场研究专家	—— 供水和卫生设施
新闻记者	—— 传媒和市场研究咨询专家
电视和电台节目主持人	—— 多边机构

　　水利专家给我们提供了一个传统的方法,即对需水量进行预测,找到充足的水源进行开发并将水输送到需水地区。但是,几十年来,水利规划者们将注意力都放在了可用水资源量的减少上,而不是日趋严重的地下水超采、由于乱砍滥伐导致地下水补给量的不足以及由于人类活动造成的污染上。人均可用的淡水资源量在下降,而需水量却在以高于人口增长的速度快速增加。在 18 世纪

中叶,由于欧洲相对较高的人口密度,其人均可利用水资源量居世界末位。但是 15 年后,亚洲的人均水资源量比其他洲都要低。

发展中国家面临着非常严峻的挑战,在那里有 11 亿人不能获得充足的安全生活用水,24 亿人缺乏充足的卫生设施。亚太地区又占这些人口的大多数。其中 2/3 的人供水设施得不到改善,世界上不能配备良好卫生设施的人口大约 80% 在亚洲[1]。政府部门和水利专家最后逐渐认识到,除一些缺水地区外,他们所面临的真正问题不是水资源短缺不能满足用水需要,而是水资源管理不善。

对于职能不分,甚至有时在利益和政策方面有冲突的部门,亚洲和太平洋地区采取的措施一般都是对其职权进行分解。2000年 3 月在第二届世界水论坛上召开的部长级会议通过了有关 21世纪水安全的海牙部长宣言,宣言中作了如下承诺[2]:

(1)明智管水:确保良好的管理,以便在水资源管理中有公众参与并且投资者享有利益。

(2)珍惜水:在水的所有使用过程当中体现其经济、社会、环境和文化价值。

每个用水部门,包括生活用水、农业用水、工业用水和生态用水,单独进行水资源开发和管理都是不合理的,这需要部门间的统一协调和管理。

在亚太地区,淡水资源相对来说比较丰富,导致其短缺的主要问题是不合理开发、蓄水和引水以及用水效率低下。在一系列为第二届世界水论坛准备的报告中,特别是由全球水伙伴[3]准备的报告中,明确提出亚太地区要在水资源管理的态度和水资源管理的作用方面作如下转变。

(1)在国家、省及地方范围内通过政治手段改善管理,减少水利部门的用水冲突和机构臃肿现象。该报告在综合水资源管理方面列举了大量的实例,但由于政府部门对其效益缺乏足够的认识,所以综合水资源管理仍未被广泛普及。

(2)非政府组织(NGOs)和地方用水户社区团体的广泛参与。非政府组织在鼓励公众参与和加强妇女的作用方面能发挥带头作用。在尚未使用自来水的农村地区,妇女通常是水的管理者,她们打水或引水供家庭之用。同时她们也有助于引进良好的卫生习惯和卫生设施。

(3)增加每个需有效用水的用水户的节水意识。当地社区很少在意一个流域系统中不同元素的相互关系以及对水资源的极大需求,大部分用水户没有意识到水的真正价值。所以可以考虑征收原生水资源费以及对超量使用的处理水增加额外收费来提高用水效率。

(4)改善供水和卫生设施的运行效率。以往政府部门坚持的低额征收水费通常不能足以维持灌排系统的运行和维护费用,从而使其运行状况不断恶化。所以从长远来看,现在所面临的主要挑战之一就是引入自负盈亏的机制,提高灌排系统的运行效率,促进节约用水。

(5)各部门需要多加关注并采用更加合理的技术和财政政策。近年来比较可喜的变化是,由多边基金机构为供水工程的投资,已愈加关注于以改善卫生状况以及节水和高效用水的社会市场的项目实施。

其意义主要表现在两个方面:一个是综合水资源管理的需要,另一个是增强节水意识的需要。本指南在强调提高节水意识的同时,也同样提倡综合水资源管理,因为它更能同增强节水意识一道促进节水目标的实现。

四、水管理政策中节水的需要

对水资源需求的合理增长需要通过提高用水效率来实现。这需要对传统的"预测并提供"方法的模式进行改变,使用远距离的和更高价格的水源来继续加大供水,这在财务和经济上没有多少意义,因为目前通常有一半或更多的处理水被流失、浪费或无效利用。

作为水管理政策的组成部分,在25~30年前节水在水资源短缺地区就显得十分重要,比如美国的加利福尼亚州。各部门的用水需求逐渐加快,而合理距离范围内的原生水资源已全部开发,开发远距离的水资源变得相当昂贵,有些地方甚至从几百公里以外调水。但在很多时候,这些远距离的水资源在当地的水资源规划中已经被作为水源来增加当地的用水需要,所以地区间的用水冲突愈演愈烈。

研究表明,大部分部门的用水效率相当低,用水量远远超出实际需要,所以对需水量进行管理来节约用水具有很高的经济效益。目前节水和增强节水意识已经列入加利福尼亚州的供水政策和措施中。同样,以色列和新加坡两国水资源都不丰富,在很多年以前就进行增强节水意识的教育,在提高用水效率方面都非常成功。澳大利亚国民的节水意识也很高,并以此作为解决水资源分配不均地区人口需水问题的方法之一。

目前节水被世界上许多水资源比较丰富、但是受到水质下降水资源过度开发威胁的国家所采纳。人类活动正在通过城市化、工业化、乱砍滥伐和不良的农艺措施不断破坏着河流、湖泊和地下水的水质与水量。河流和地下水的无度开采与补给是破坏环境和水资源本身的主要原因,这就需要在用水之前花费更加高昂的费用对其进行处理。

尽管本指南的重点是增强供水部门的节水意识,但此方法同样适用于灌溉部门。从亚太地区的整体情况来看,农业灌溉用水量在人类活动总用水量中所占的比重最大,通常在70%~80%。在许多国家,农民很少或根本不注意灌溉用水量,也没有积极性去提高灌溉用水效率。国际水管理学院(IWMI)[4]对全球50个灌区的调查表明,用水效率最高和最低灌区的灌溉水生产率竟相差6倍。例如在印度,缩减此差距将意味着每公顷增加 2～4t 的水稻产量。随着世界人口的增长,提高灌溉效率是可行的粮食生产战略的一项重要内容。

五、增强节水意识的目标

本指南的主要目标是帮助预计的三个读者群体理解在供水部门需要节约用水以及如何实现节约用水,以便他们能将增强节水意识的信息依次传播给所在单位以及整个社会的每一个人。这三个群体的具体目标是他们应该在以下方面增强节水意识。

1.政治家和政策制定者

(1)动员一切政治力量采用可持续的水资源管理政策。

(2)提倡改变立法、机构和经济框架,以提高水资源管理和利用的综合效率。

(3)提高公众意识及公众对政府和供水机构有关节水倡议的支持,包括提高农业部门的灌溉效率。

2.水管理者和专家

(1)以各部门的用水户为主要对象对他们进行有关水的真正价值以及高效用水和避免浪费的教育。

(2)鼓励用水户参与节水行动。

(3)促进综合水资源管理。

3.社会市场专家和教育学者

(1)在学校引入有关水对生命和环境的重要性以及需要自觉节约用水、避免水资源浪费的课程。

(2)对不同年龄的用水者进行有关管理水是每个人的职责的教育。

(3)对公众进行不合理利用水资源对环境影响的教育。

(4)在社会上各级用水户中发起增强节水意识的行动。

六、节水意识的效益

1992 年美国环境保护局[5]在有关高效用水的报告中对节水效益进行了诠释：

"为了满足现在和将来人口的需要并保护动植物的栖息地与生长环境以及生态系统，国家的水资源必须是可持续的，并且是可更新的。强调认真有效用水的合理的水资源管理对实现这些目标是非常重要的。

"通过改善水质、维护水生动植物生态系统以及保护饮用水源，水的有效利用对环境、公众健康和经济效益都是有益的。由于我们的生态系统和生物完整性面临越来越多的危险，水质和水量间无法解决的关系变得越来越重要。提高用水效率是解决水质和水量问题的方法之一。水的有效利用还可通过减少废水排放、工业水的循环使用、废水的再利用以及少用核能防止污染来实现。"

亚太地区国家所面临的问题正与这些内容有关。对于政府来说，改善用水服务是经济和社会发展的一项重要内容，节水意识的增强将促进用水服务的改善，并可通过加强社区的参与和自力更生能力直接促进社会的发展。

参考文献

[1] Global Water Supply and Sanitation Assessment 2000 Report. WHO, UNICEF and WSSCC, December 2000

[2] Ministerial Declaration of The Hague on Water Security in the 21st Century, Final Report. Second World Water Forum, 17-22 March 2000, The Hague. World Water Council

[3] Towards Water Security: A Framework for Action. Global ater Partnership, 2000

[4] Molden, D. and Sakthivadivel, International Water Management Institute, in "A Vision of Water for Food and Rural Development". Second

World Water Forum, February 2000

[5] United States Environmental Protection Agency Office of Water. Statement of Principles on Efficient Water Use, December 1992

第二章 制定增强节水
意识的战略

一、简介

本章着重推荐用于增强节水意识的战略框架。建议政府部门首先制定节水的国家战略。亚太地区的一些国家已经这样做了，以下分别加以介绍。

菲律宾政府于 1995 年成立了国家节水和需求管理委员会，是总统关注节水的集中体现。该委员会的主要职责为：

(1)起草全国节水规划；

(2)开展全国性活动，增强采取节水措施的意识；

(3)鼓励私营企业积极参与节水活动；

(4)筹集开展活动的资金。

该委员会下分五个分会，就这些工作开展了研究，加以细化，并对利益相关者的反馈进行监测。该委员会在此基础上起草了国家节水计划。

印度尼西亚政府在部门调研的基础上制定了节水战略。该调研范围涉及 134 个流域，调研内容包括水资源量、用水情况、水文、土地利用和社会经济状况。41 个流域被指定为优先发展节水的地区，在雅加达、班顿和苏拉巴亚等城市周围的流域形势最为严重。

在伊朗伊斯兰共和国，政府在第三个国家经济和社会发展规划(2000~2004 年)中，要求水资源管理机构负责执行一些主要的节水政策，包括水资源统一管理、需求管理、水质保护和水量管理。采取的措施包括：提高公众节水意识、采用累进制水价、鼓励废水回用和地下水回灌、控制污水排放、设立水保护区、成立用水户协会和运行维护公司。

老挝人民民主共和国于1999年成立了水资源协调委员会,协调全国范围内的用水。优先采取的行动包括开展公共教育,要大家将水作为重要的资源,刚开始的教育对象为水行业职工。

一套完整的战略如框图2-1所示,从实施、监测到评估,共分14个步骤。这并不是说所有的战略制定都需经过这14个步骤。例如,有些国家已经在提高节水意识方面有了进展。任何国家或地区在制定战略时,需根据自己具体的机构、社会和经济状况运用该框架,同时还必须保证战略的所有组成部分传达的政策信息是一致的。

框图2-1 制定增强公众节水意识的战略框架

第一步 成立管理委员会——根据任务大纲,负责制定战略,以实现既定的目标和目的。

第二步 明确利益相关者——对战略起草和实施以及成功或失败有直接兴趣的机构或个人。

第三步 分析政策问题——在加强公众节水意识方面需考虑的政策问题。

第四步 研究地域因素——将影响战略制定的主要国家和地区因素。

第五步 明确目标群体——明确目标群体及其特点,并对不同的目标群体加以区分。

第六步 确定合作伙伴和赞助单位——帮助实施战略并提供资金的公共部门和私有组织。

第七步 认同目标和关键用语——针对每个目标群体,包括活动标志和品牌形象。

第八步 明确提高公众节水意识的活动内容——实施战略的实际措施,包括关键信息最适当的传达。

第九步　确定传播目标和时间表——确定各种活动的时间、目的和里程碑。

第十步　确定预算并落实资金——计算实施战略所需费用,筹集资金。

第十一步　建立项目组——负责面向不同层次的战略实施。

第十二步　开展活动——将任务分解到各项目组,同时分配资金,开始实施。

第十三步　监控——项目组工作情况和效果,以及目标群体的态度变化。

第十四步　评估——根据选定的时间定期评估各种活动的效果,主要是看节约用水量,并根据需要将结果用于调整未来项目时参考。

建议采用从上至下的方法制定战略。如果是全国性的战略,中央政府部门应该负责牵头。如果不适宜制定全国性的战略,省级或地方政府部门应该牵头制定地区战略。不管怎样,选定的战略应该明确由哪级政府负责开展哪方面的活动。

应该注意到,从上至下的方法只适用于制定战略,接下来的战略实施应该采用自下至上的方法,从而最大限度地鼓励当地社区的参与,在第三章中将详细说明。

二、成立管理委员会(第一步)

(一)需要的技能和组织结构

对增强公众节水意识进行管理需要水资源或供水项目管理通常需要的技能以及在此之外的一些技能。与水资源管理一样,供水管理和财务项目管理一样,管理委员会需要有人在社会营销、公共关系、教育和大众传媒方面拥有技术和经验。如果一些有环境管理、公共卫生和灌溉等方面专业知识的人士懂得一般营销和传媒技术,将有很大优势。

上述委员会可以作为顾问委员会,也可以作为管理局。

1.顾问委员会

如果由某个政府部门作为主要的发起单位,并由其负责实现各项目标、落实及分配资金,可采用这种类型的委员会。顾问委员会的成员代表其所属组织表达意见并提供技术。这是指导委员会最常见的一种模式,但由于各成员没有最终决定权,不愿意共同承担责任,通常无法获得他们的全力支持。为了避免委员会出现难以控制的局面,建议最多由 12 名成员组成。

2.管理局

如果成立管理局,各成员对目标的实现和财务管理既有单独的责任,也有集体责任。这是更有效、更经济的组织形式,但必须使提供资金的单位或个人对其充满并保持信心。管理局成员可以被指定为负责战略的某个方面。管理局的成员在 6～10 人之间,效率最高。

(二)目标、目的和任务大纲

管理委员会不管采取何种组织结构,必须为其制定明确的目标和目的,并通过明晰的任务大纲说明其职责。特别是委员会与费用审批、采购程序和合同管理等有关的工作,需要明确财务责任。

必须明确区分战略性指导工作和日常实施工作。可以采取两层的组织结构,由管理委员会负责总体战略和方向,由项目组(参见第六步)向管理委员会进行汇报。管理委员会和项目组的各自职能大致如下。

1.管理委员会

(1)确定政策和优先领域;

(2)部门之间和之外的联络;

(3)成立项目组,开展具体活动;

(4)筹集和分配资金;

(5)监测和起草报告。

2．项目组

(1)规划和实施日常项目工作;

(2)管理项目经费;

(3)建立地方伙伴关系;

(4)工作层联络和协调;

(5)募集地方资金;

(6)向管理委员会提供进度报告。

三、明确利益相关者(第二步)

为了更有效地提高公众节水意识,有必要与拥有类似或互补兴趣的机构或个人建立伙伴关系。管理委员会的首要任务是明确利益相关者——有意成为合作伙伴的机构或个人(包括目前深受缺乏节水意识之苦的机构或个人)以及拟传播增强节水意识信息的对象。将增强节水意识战略的目标和目的告诉其他人,并就共同采取的行动达成一致意见,可使上述信息传达范围更广,效果更明显。

建立伙伴关系是共同实现政治承诺的体现。由联合国大会批准的 1990 年《新德里声明》强调:"政治承诺至关重要,必须通过交流和动员社会各阶层来提高意识。"管理委员会应该一开始就全面了解潜在的利益相关者,特别应该考虑制定提高公众节水意识战略和计划涉及的所有决策机构、审批机构以及能提供资金的部门。考虑了这些利益相关者,可以从框图 2-1 中的第三步一直进行到第十步。

四、分析政策问题(第三步)

管理委员会的下一个任务是对战略涉及的政策问题进行详细分析。在这个阶段,管理委员会应该温习成立时制定的任务大纲,列出在规划传播工作时需要直接传达的或需要考虑的关键政策问

题,如:

(1)地方性的和/或季节性的缺水原因;

(2)水资源和供水领域的机构优势和劣势;

(3)服务水平,尤其是对弱势群体的服务,以及政府就为所有人提供足够优质水的承诺情况;

(4)当前社会各阶层对水服务成本和高效用水的认识;

(5)现有的水价结构、支付能力和意愿。

五、研究地域因素(第四步)

(一)分析地域特点

增强公众节水意识有必要了解地方特点。下一个工作即研究、了解制定和实施战略所在的区域特征,通常包括以下几方面:

(1)政治:水问题是否摆到了政府议事日程的首要位置?有无政治意愿?

(2)社会:有无需要特殊考虑的社会阶层?是否能公平取水?

(3)公共卫生:是否已开展有关清洁用水和卫生的宣传活动?

(4)环境:环境可持续发展是否给予了重视?

(5)经济发展:供水是否已成为社会经济发展的制约因素?

(6)性别:妇女在增强节水意识方面发挥的作用是什么?有无强大的妇女组织?

(7)文化:有无水和卫生方面的宗教或文化取向?

(8)地理:供水存在的经济和环境制约因素是什么?

(9)气候变化:洪旱灾害是否在增加?

(10)协调:水管理机构的融合和协调情况如何?

一种方法是通过集体的"头脑风暴"讨论分析优势、劣势、机会和威胁(简称 SWOT 分析法)。框图 2-2 举例说明一个虚拟的城市开展增强节水意识活动的 SWOT 分析情况。

框图 2-2　SWOT 分析举例

优　势

(1)市政府和水务公司同意支持开展增强节水意识的活动。

(2)居民要求提供更多关于水价的信息。

劣　势

(1)一个重要的环境方面的非政府组织不愿意与市政府合作。

(2)目前没有资金。

(3)水务公司的公共关系部门办事不力。

机　会

(1)市长愿意带头开展宣传活动。

(2)多边贷款机构可以为卫生项目提供资金。

(3)一年一度的宗教水节为增强节水意识活动提供了舞台。

威　胁

(1)当地媒体对水务公司持批评态度。

(2)季风气候马上要开始。

(二)用法律框架指导工作

法律框架决定了具体的地方大环境。为了解决不断增加的水资源需求压力,有必要制定国家和地方法律法规,以保证高效管理和平等分配。如果当地的法律框架比较薄弱,制定战略的任务之一是促进有关节水法律的制定。

一些国家新制定的法律提出可持续水资源发展的要求,通常明确指节水和水的高效利用,如美国、英国和南非。这些法律有助于提高公众节水意识。

美国联邦法要求美国环保局制定节水规划的指导原则(框图 2-3),供州政府在审批水务公司申请政府贷款修建供水项目建议书时参考。美国大约有一半的州政府要求,新建水工程申请资金的项目建议书中应包括节水规划。

　　新加坡制定了严格的法律惩处水资源的浪费和非法使用。在英格兰和威尔士,所有的水务公司已经私有化,水务公司有义务帮助用水户促进用水效率的提高,并由相关的管理机构进行监测和报告。

　　很多国家也有法律法规、管道标准和其他地方法规要求私人住宅必须使用节水型取水设施。新加坡《标准化水服务指导手册》(第四十八章)规定了所有用户必须遵循水管和接头的标准。例如,该手册明确指出,私人厕所的马桶必须有低水流摁钮,每次用水量只有 3.5~4.5L。以色列、日本和韩国都有支持节水的强有力的法律。

　　几个政府部门可能共同负责节水的有关法律事务。如果所有的利益相关者同意并且执行共同的战略,能使一般民众都了解有关高效用水的现有法律。

六、明确目标群体(第五步)

非常有必要明确主要的目标群体,向他们说明提高公众节水意识的好处,并使他们信服。根据各目标群体的特点,应该适当调整有关提高节水意识的宣传用语。建议的主要目标群体如下:

(1)政策制定者;

(2)水资源专业人员;

(3)供水和卫生工作者;

(4)政府部门和社区领导;

(5)非政府组织;

(6)教师和培训专家;

(7)医护工作者;

(8)媒体;

(9)艺术家和文艺工作者;

(10)宗教领袖。

一旦这些目标群体认识了节水的必要性和好处,他们可以成为伙伴,将有关提高节水意识的信息传达给与他们直接有联系的用水户。具体到每个国家,还可以确定其他的目标群体。

(一)政策制定者

管理委员会最重要的工作也许是获取所在国决策者对增强节水意识战略的广泛支持。政策制定者包括中央和地方政府部长和政客、高级公务员、经济和发展规划负责人及水行业决定政策者。应该让他们明白增强节水意识的重要性及对他们的职责及利益可能产生的影响。获取他们支持的理由如下:

(1)如果选民知道某政客了解节水是促进社会发展和减少贫困的一种手段,将有助于他获取更多的选票。

(2)由于水问题关系到每一个人,为政府和它的人民、非政府组织、负责城乡发展、公共卫生、教育和环境的部门建立联盟起到了纽带作用。

(3)水管理者将明白加强节水意识是促进水资源统一管理的重要内容。

(4)提高节水意识将有助于提高个人在社会发展中的责任意识。

第三步中讨论的政策问题将有助于管理委员会列出决策者最关心的地区问题,从而选定更适当的宣传用语。

框图 2-4 举例说明决策者如何支持增强节水意识方面的工作,斯里兰卡政府如何采取行动制定以需求管理和节水为主要内容的水资源政策。

框图 2-4 斯里兰卡:国家水资源政策的需求管理

斯里兰卡水政策制定者认识到水资源的高效利用和节约在促进国家发展、社会平等、环境保护和可持续发展方面的重要意义,已经制定了包括以下内容的水资源政策。

(1)水权转让,促进节水和水资源优化配置。

(2)水管理成本分摊。流域水资源管理成本应该根据使用量、支付能力和消耗性/非消耗性用水来分摊。

(3)宏观调控。水权是水需求管理的重要手段,包含高效用水的前提和条件。

(4)节水技术。采用量水仪表是实现水权交换的前提,促进节水研究。

(5)教育和意识培养。水资源管理者将接受培训,通过他们自己的行动以及与用水户的联系促进节水意识的提高。

(6)基建投资。公共投资的水管理项目和活动都应包含节水内容。

(7)信息和需求管理效果。颁布需求管理的有关信息并通报落实各项需求管理目标的情况。

资料来源:斯里兰卡国家供排水管理局,2000 年。

（二）水资源专业人员

政府部门的水资源专业人员对增强节水意识战略的理解和支持对其成功实施非常关键。主要人员包括流域管理者和水资源规划者。他们需要了解节水的双重途径：

（1）通过水库蓄水、河流整治、流域和地下水统一管理及水资源的优化配置来节约水资源是每个国家的优先工作，对于共享国际河流的国家来说尤其重要。

（2）通过改善公共供水和配水设施的运行和维护，以及提高用水户的用水效率来节约水供应。

有必要向大流域管理机构的成员宣传节水的重要性，特别是国际河流的管理机构。

（三）供水和卫生工作者

另一个目标群体是水务公司的高级供水和卫生专家。应该包括管理和规划人员，也应该包括非技术人员，如公共关系经理，他们将在向用水户宣传节约用水方面发挥重要作用。管理人员可能发现一些不合意的但需要他们与其政策主管以及职员进行沟通的节水意识信息。

增强节水意识意味着加强供水管理的一种新办法，强调更高效利用现有资产、改善管道和工程的维护、减少渗漏、更好收取和计算水费以及改善客户关系。对于很多供水和卫生公司来说，意味着态度的大转变和管理优先考虑内容的调整。人力资源经理可能需要给人员培训课程注入新的观点和课程。

（四）政府部门和社区领导

如果一些政府部门和社区组织能够共同承担提高节水意识的有关工作，该项工作就容易多了。在亚太地区，各国的许多政府部门和机构共同负责水的有关工作，应该让这些部门和机构都收到有关提高节水意识的宣传用语，使它们能够在各自有影响的行业帮助促进节水意识的提高。

水行业以外的其他部门,如负责公众健康和卫生、环境、社会福利、信息和公共关系以及教育的部门,可能对共同促进节水意识的提高有着浓厚的兴趣。

如果充分发挥地方政府和社区领导的积极性,他们可以发挥关键作用,将提高节水意识的有关信息传达给当地群众。泰国1998年发生了旱灾,各省水工程局启动了一项宣传活动,促进公众节水意识的提高,将清洁水的短缺和毁坏森林及工业污染联系了起来。流动维修车到全国各地巡回服务,为水管、渗漏的水池和用户水表免费维修。有关明智用水的宣传册子广泛散发,省政府和地方社区领导通过与公众的交流,在宣传活动的准备和开展过程中发挥了重要作用。

(五)非政府组织

非政府组织通常是非赢利的,自发参与的程度很高。它们在亚太地区的水行业中正发挥着日益重要的作用,应该作为提高节水意识的重要社会力量。很多非政府组织参与小型农村水利项目的管理,他们取得成功的关键是发动当地群众积极参与。目前的趋势是非政府组织逐渐与国家和地方政府结成伙伴关系,共同参与项目。

有些国家正越来越依靠非政府组织开展一些地方项目。例如,韩国政府正在开展一项提高全民节水意识的宣传活动,邀请非政府组织带头在基层开展工作。这种方法有望比政府公关活动取得更好的效果。

非政府组织在起草、编制和利用教育和公共信息材料方面有着丰富的经验,可以将有经验和积极性的人士组成网络,协助促进节水意识的提高。

(六)教师和培训专家

提高公共的节水意识是一项长期工作,应该从孩子入学抓起。小学、中学和职业学校的课程应该包括水的内容,所以教师和培训专家是落实提高节水意识战略的重要伙伴。

教育管理者应该将水学科作为国家和地方学校课程的内容。教学的材料包括水在生活各方面的重要性，以科学教育、文学、美术和话剧等形式表现。制定提高节水意识战略的优先工作之一是为教师和学生编制有趣的、信息多的、吸引人的提高节水意识宣传材料。

(七)医护工作者

医生和护士等医护工作者的日常工作通常遍布国家的各个角落，面向社会各个阶层。他们在公共卫生宣传方面的丰富经验和集体智慧，特别是有关卫生及使用脏水的危险等方面的知识，使他们成为提高节水意识工作的宝贵合作伙伴。

联合国儿童基金会（UNICEF，简称儿基会）在很多国家开展项目，通过提供洁净水和卫生设施改善当地群众的健康水平。儿基会为医护工作者编制了一些有关卫生知识的手册，内容涉及卫生、疾病预防、水资源保护和正确的取水与蓄水办法等。这些资料大部分有益于提高对水的认识，应该吸收到提高节水意识的战略中来。

(八)媒体

电视、收音机、电影、报纸、杂志以及互联网有着强大的传播信息和教育的功能。应该了解当地群众使用各种媒体的程度，然后充分利用这些媒体宣传节水。应该有计划地在水资源工作者和传媒之间建立工作关系，包括给水资源工作者提供媒体所起作用的培训，给媒体工作者传授节水方面的知识。

水资源工作者应该从原来的不太情愿接受媒体采访转变为积极的媒体管理者。这意味着各供水公司的技术人员与公关人员需要进一步加强合作。

(九)艺术家和文艺工作者

媒体传播信息通常是单向的，经验证明，如果信息传播是双向的、互动的,公众的态度可能更容易改变。民族歌舞、木偶剧、故事和音乐等方式可以描述实情,促使人们进行讨论并表达他们的意见。这种方法在年轻观众中最有效,也可以作为青少年发展教育的一部分内容。

这里的目标群体是社区展览、比赛、话剧和艺术节的组织者,应该让他们了解有关水问题并促使他们有创意地宣传培养节水意识的重要性。印度、日本、哈萨克斯坦、吉尔吉斯斯坦、菲律宾、韩国、新加坡、泰国、土库曼斯坦、乌兹别克斯坦的学校和社区在宣传节水的活动中有效利用了展览、话剧片段、美术、诗歌和舞蹈比赛等形式。

(十)宗教领袖

很多宗教将水作为生命之源,是个人卫生的重要保障,能象征性地洗涤罪责。将宗教领袖作为目标群体有以下两个原因:一是因为他们可以在传教时宣传培养节水意识的重要性;二是可以鼓励他们的教徒参加节水宣传活动。

韩国全国性公民节水运动的代表包括基督教徒和佛教徒。印度尼西亚巴厘岛以种水稻为生的农民通过自发性的社会宗教合作社,即苏巴克斯,非常有效地进行灌溉管理。印度的印度教水庙和水节是有效水资源管理系统中不可或缺的一部分。在孟加拉国,伊斯兰教阿訇让儿基会的传媒官员在宗教的集会上给150万人宣传节水,并散发了50万份关于卫生的宣传手册。这些例子说明宗教领袖的支持可以促进节水宣传活动的开展。

(十一)用水户

如果上述目标团体理解并接受加强节水意识的重要性,他们可以成为合作伙伴,并向用水户宣传节水的重要性。宣传节约水资源和提高供水效率、在城市和农村宣传节水需要不同的技巧。针对每个目标群体的经历,能帮助管理委员会决定提高节水意识活动的风格和形式。

提高城市供水效率的重要性必须让具有不同需求的各种用水户知道,必须认真分析每种用水户的具体经济、社会和文化背景,并在设计宣传节水的层次和风格时加以考虑。最难让城市用水户接受的信息可能是他们将逐渐支付全部的供水成本,但能给穷人一定的补贴。另外很难让人接受的信息是浪费水与不恰当的水土资源利用有关,可能会对环境和几百公里以外的用水户产生不良影响。

七、确定合作伙伴和赞助单位(第六步)

(一)战略伙伴关系

从战略层次来说,决策者和政治家之间必须建立起伙伴关系和联盟,说服这些领导节水本身很重要,还能有助于经济和社会发展。有些领导不容易被说服,需要花时间和精力来改变他们的想法。

在政府这一层次,战略伙伴关系应该在不同部门之间,包括负责水的各个方面(水资源、城乡供水)的部门、公共卫生、环境、灌溉和农业、城市和农村规划等部门。除政府之外,战略伙伴关系应该包括非政府组织、私营水和能源服务企业、妇女组织和其他社区组织、提供赞助的企业及媒体。框图2-5是韩国的例子,如何建立伙伴关系来开展全民节水宣传活动。

应该区别就有关政策游说政府的联盟和为合作活动提供支持与资金的伙伴关系。游说联盟通常是以改进同一政策为目的的不同团体的非正式联合。赞助伙伴关系通过提供资金、货物和服务来换取对赞助单位作用的认可及对其产品的广告效益。在商业营销方面,赞助商可以通过支持节水活动来实现公司的营销目标,从而谋取自身利益。例如,一家国际水务公司支持一个项目印刷节水宣传手册。作为回报,该项目将公司的标志印到宣传材料上面。商业赞助可以帮助提高节水意识战略的实现,但必须精心策划,每一阶段都必须保证透明度和可靠性。

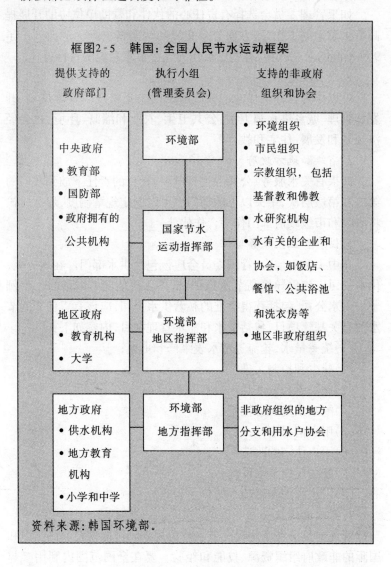

框图2-5 韩国：全国人民节水运动框架

提供支持的 政府部门	执行小组 (管理委员会)	支持的非政府 组织和协会
中央政府 • 教育部 • 国防部 • 政府拥有的 公共机构	环境部	• 环境组织 • 市民组织 • 宗教组织，包括 基督教和佛教 • 水研究机构 • 水有关的企业和 协会，如饭店、 餐馆、公共浴池 和洗衣房等 • 地区非政府组织
	国家节水 运动指挥部	
地区政府 • 教育机构 • 大学	环境部 地区指挥部	
地方政府 • 供水机构 • 地方教育 机构 • 小学和中学	环境部 地方指挥部	非政府组织的地方 分支和用水户协会

资料来源：韩国环境部。

(二)潜在的伙伴和赞助单位

如果管理委员会选择有责任心的伙伴和赞助单位协助开展提高节水意识的工作,这方面公众交流的效果将更好。下面列出了9种不同的潜在伙伴,有些已被作为宣传节水意识的目标群体。

1.中央政府

可以作为合作伙伴的中央政府部门主要负责水资源规划、开发和管理、城乡供水和卫生、公共卫生、农业和灌溉、环境、社会经济规划和发展、住宅和教育等。

2.省级和地方政府

如果有关水服务、公共卫生、环境和教育的责任下放到政府的第二和第三层次,中央以下的部门也可以制定规章制度,那么应该将省级和市级政府部门作为合作伙伴。

3.供水和卫生服务单位

在中央政府层次,管理委员会应该包括供水部门。在地方上,供水公司应该倡导提高节水意识,框图2-6是日本东京的一个例子。供水公司,包括获得批准的私营供水公司,应该有责任开展节水的有关基建项目,包括供水和需水管理项目,内容如下:

(1)统一量水,轮流进行水表维修和更换;

(2)减少和控制污染;

(3)提高财务效率和水费收取率;

(4)配水系统压力控制;

(5)用水情况审计;

(6)用户住宅的改造;

(7)鼓励使用节水设施;

(8)污水回用和冷却水循环。

4.非政府组织

管理委员会在实施提高节水意识规划时可能需要利用国内和国际的非政府组织资源、技能和经验。要在全国范围内利用参与的方式提高节水意识,有经验并注重妇女参与的非政府组织尤其能发挥重要作用。在提高节水意识方面有突出贡献的大型国际非政府组织包括全球水伙伴、世界自然保护联盟、世界自然基金、国际水伙伴和水扶持组织。

管理委员会在与非政府组织建立伙伴关系前,应该检查一下政府和非政府组织之间是否存在着很大的政策差异。

框图 2-6　日本:东京节水战略

东京节水战略分五个主要部分:

1.通过以下方式提高节水意识:
(1)海报、宣传手册和电视广告;
(2)中小学生的作业本;
(3)街头宣传活动。
2.分发节水设施,包括节水龙头等。
3.提供节水设施方面的指导,如:
(1)低水位座便器;
(2)节水型洗衣机。
4.通过以下方式减少渗漏:
(1)要求用水户预防渗漏;
(2)更换旧的输水管道;
(3)房子新安装不锈钢管子;
(4)研究管网的维护。
5.通过污水回用和雨水收集提高用水效率:
(1)楼内的污水回收用来冲厕所;
(2)在屋顶、铺有水泥路面的地方和停车场收集雨水,用于饮用外的其他用途。

资料来源:东京水工程局,2000 年。

---

5. 多边机构

大概有近 20 个联合国机构和地区性的亚洲开发银行参与水方面的工作。多边机构支持国家开展节水活动的方式包括：

(1)资助提高节水意识的项目，或者是有提高节水意识内容的供水和卫生项目，这些项目必须符合该机构的目标；

(2)通过资助召开研讨会、交流会，出版指导手册和标准等，提供人员培训和职业培训；

(3)通过出版刊物提供知识来源和信息服务。

多边资金机构不断地为供水项目贷款，以促进卫生、节水、水的有效利用等项目的实施。框图 2-7 是由亚洲开发银行资助的菲律宾的一个供水项目的例子。

6. 大型集体用水户

农业、工业和商业领域，特别是基层的大型集体用水户是潜在的合作伙伴。它们希望在公司内部通过节水来获取经济效益，同时也希望能以此树立对社会负责任的公司形象。它们也希望通过参与政府主办的社会宣传活动来提高公司的环保形象。

企业可能企图通过影响政策来保护它们自己的商业利益，这种伙伴关系需要谨慎对待。然而，它们可以从商业角度为提高节水意识活动做出贡献。

7. 专业协会

有些专业协会在会员中间宣传节水，如国际水协会(前身为国际供水协会)和美国水工程协会。美国水工程协会设有活跃的节水处，每三年举办一次节水大会，最近的一次于 2002 年召开。

国际水协会拥有团体会员(供水和卫生公司)和来自亚太地区很多国家的个人会员。该地区一些国家建立了国际水协会的国家委员会，包括澳大利亚、孟加拉国、中国、印度、印度尼西亚、日本、马来西亚、新西兰、菲律宾、韩国和越南。

框图 2-7　菲律宾:供水项目中的提高节水意识工作

最近,菲律宾的一个为人口在 1 万至 10 万之间小镇供水的项目得到亚洲开发银行的部分资助。作为获得贷款的条件,菲律宾卫生部和地方水务管理局同意建立伙伴关系,促进公众卫生、健康和节水意识的提高。该宣传活动的目标是改变用水户的行为,尤其是改变农村妇女和儿童的用水行为。

(1)个人卫生:用餐前后及便后洗手;

(2)食品卫生:准备和烧煮食物前洗手,食物清洗后再烧煮;

(3)社区卫生:家居卫生和适当的垃圾处理;

(4)节水:在家里节约用水。

宣传活动的内容包括节水,强调水越来越稀缺,破坏流域和污染河流湖泊不能实现环境可持续发展。

宣传的方法包括:

(1)倡议——获取地方官员和村领导的支持,使他们高度重视节水活动;

(2)社区参与——通过村里的论坛,人们能发现健康问题并进行讨论,最后提出解决方案;

(3)培训——培训当地志愿者如何宣传,让他们向当地居民进行宣传;

(4)信息、教育和宣传——制作各种宣传品,如图表、喜剧小品、海报、广播剧和录像带等协助当地志愿者开展合作;

(5)广泛联系——通过与其他团体和协会的合作,宣传的范围更广;

(6)社会动员——开展社区性的活动,供水项目完成后,行为改变的种子已埋下,可以继续生长。

资料来源:菲律宾地方水务管理局,2000 年。

这样的协会可以为各领域提高公共节水意识提供知识基础,同时还提供了由节水方面潜在伙伴和专家组成的宝贵网络。

8.公众卫生组织者

节水和公众卫生宣传活动经常可以放在一起举办。当穷人第一次用上自来水和更好的卫生设施,公众健康就能得到改善,这正好是教育他们节约用水的好时机。与此同时,当有了新的水及卫生服务设施,提高节水意识活动的效果将非常好。有关国内和国际机构为提高卫生和健康意识制定的社会宣传方法很有效,为宣传节水工作提供了宝贵的范例和经验。

负责提高节水意识的管理委员会应该与公共卫生部门的专家取得联系。如有可能,则建立工作伙伴关系。

9.环保宣传活动组织者

1992年里约首脑会议倡导的可持续发展开创了以更加统一和全面的方法解决环境问题的新局面。某个环境问题的活动组织者,如河流污染、新建大坝的影响等,正逐步认识到需要将单一的环境问题放在更宽广的范围内加以研究,如用水和节水。

地方社区最容易受到砍伐森林、不恰当的土地利用管理、浪费农业用水和污染的影响。例如污染问题,一些环保宣传活动的目标是尽量减少污染,主要是在源头上减少污染土地、地表水和地下水的生活和工业垃圾。减少污染物的数量应该与减少水的浪费同时进行。可以通过需求管理减少生活用水,通过引进清洁技术,即节水型生产流程和工厂的良好管理,减少工业用水。

这些问题将一些环保宣传活动和节水及水的高效利用联系起来,管理委员会应该寻找机会与这些活动组织者进行合作。

八、认同目标和关键用语(第七步)

到现在为止,管理委员会已经明确了利益相关者、政策问题、目标团体和潜在的合作伙伴及赞助者。下一步是考虑政策问题和利益相关者及伙伴的兴趣,开始就提高节水意识的目标和关键用语达成一致意见,设计宣传活动的总体安排。管理委员会应该起草目标和宣传用语,供所有感兴趣方提意见。

借用商业营销中常用的方法,目标和宣传用语可按下图的两个阶段、分五步走的方式确定。

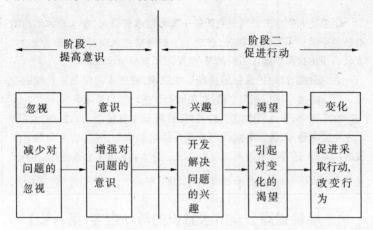

在第一阶段,用水户开始了解以低成本提供洁净水、无度开发水资源对环境的影响、高效用水与卫生和健康的联系等问题。第一阶段通常要持续几年时间,效果不容易量化,但是它帮助提高了整体意识和兴趣,为第二阶段的工作奠定了基础。

第二阶段通常是短期(1~2年)的宣传活动,激发行动,即态度和行为方面的永久变化。如果有外部原因需要人们作出反应,促使人们改变行为的宣传活动效果将更好,如多年水资源短缺。框图2-8是来自英国的例子。第二阶段花的钱比第一阶段多,但从节水方面来说,这一阶段的效果是可以测算的。

第一和第二阶段有关活动举例如下。

第一阶段(长期):给孩子传授有关公共健康、清洁用水、卫生、节水和环境方面的知识,给水资源开发者传授环境可持续发展的知识。

第二阶段(短期):告诉工业用水户将采用成本回收的水价。

在旱灾期间加强开展提高节水意识宣传活动。

框图 2-8　英国:促进水资源高效利用的双重战略

诺桑比利安水务公司是英国的一家私营水务公司,在水资源丰沛的英格兰东北部有 250 万顾客,在较干旱的英格兰东南部有 170 万顾客。该公司根据这两个地区不同的情况,采用了双重节水战略。

在东北部,战略的目标是提高节水意识,使用水习惯发生长期的变化。没有必要采用短期节水措施,关键是促进环境可持续发展。

在东南部,提高节水意识的同时,开展节水宣传活动。这些宣传活动注重需求管理,为顾客减少用水提供信息和咨询,并发放免费的节水设施。此外,还开展市场调查对这些活动的结果和供水水表进行监测。

资料来源:英国诺桑比利安水务公司,2000 年。

九、明确提高公众节水意识的活动内容(第八步)

有时候为了回应"为节水做点事"的压力,开展一些既便宜又容易的个别活动,如印发节水手册。但如果这种活动不是周密计划的战略的一部分,效果将很差,而且还浪费时间和金钱。

提高公共节水意识宣传活动通常可分为以下 6 类:

(1)良政——最高层领导,制定政策和法律;

(2)社会宣传——各种宣传活动;

(3)媒体传播——通过电视、广播、报纸、杂志和互联网;

(4)教育——学校、学院、大学和宗教集会;

(5)公共集会——会议、大会、展览、节日、艺术和话剧;

(6)信息散发——书、小册子和海报。

在以上述 6 个方面为主的战略中,应该通过规划在促进节水意识提高的各种驱动力之间建立明确的联系,即

(1)问题;

(2)听众;

(3)伙伴;

(4)宣传用语和目标;

(5)活动。

框图 2-9 举例说明如何为在两种驱动力之间建立联系进行规划。

框图 2-9　战略规划框架使用例子				
问　题	听　众	合作伙伴	传递信息	活　动
让学校的儿童了解水问题	学校儿童; 父母; 家庭; 老师	负责管水、教育和环境的部委; 供水公司; 非政府组织	水是生命和保护环境必不可少的资源; 水资源是有限的; 明智地用水	为老师提供水教育材料; 为儿童提供水作业本; 为家庭提供信息; 话剧及艺术展览
提供公众对水相关服务成本回收的认识	所有的消费者; 社区领导	负责水、财政和供水的部委; 非政府组织	目前成本没有全部回收; 穷人应该得到更多补贴; 长期来看,需要过渡到用水户支付成本	公众会议讨论真实成本; 为社区领导提供信息; 提供有关水费的信息

应该将活动大致分为以下 3 个层次:

中央或联邦政府：

(1)起草有关高效用水和节水的法律；

(2)制定国家级水管道政策和设施及接头的标准；

(3)为提高公众节水意识的社会宣传活动制定政策和导则；

(4)游说将节水意识的教育作为学校课程的内容；

(5)确定一天为节水日。

省或州政府：

(1)制定有关提高节水意识的省级政策；

(2)起草有关高效用水的地方细则和规定；

(3)制定有关提高节水意识宣传活动的省级政策；

(4)将节水意识教育作为学校课程的内容；

(5)组织有关节水的竞赛。

市政府：

(1)竞赛和奖励；

(2)文化活动；

(3)为公众提供印刷品；

(4)地方媒体报道。

十、确定传播目标和时间表(第九步)

(一)战略目标

在战略规划阶段需要增强意识和提高兴趣,很难衡量有关增强节水意识宣传活动的成功与否。因此,有必要设计一个框架,用事先确定的战略目标监测各种活动。框图 2-10 用一些假设的数字介绍一些典型的目标。

(二)项目和活动:长期和短期

实施提高节水意识战略应该进行五年规划。五年时间足够引起节水意识方面的变化和举办一些短期的宣传活动。有一些节水项目将贯穿整个实施期，如制作学校的宣传材料和尽量减少垃圾

框图 2-10	典型宣传目标举例	
活动类型	战略目标	具体任务
政府管理	向 15 个政府部门的 3 000 名员工宣传提高节水意识的必要性	出版和分发 3 000 本宣传册子给员工,并附有关提高节水意识的说明信; 举办 30 次部门会议
社会宣传	在 10 个最大的城市举行有关节水意识的宣传活动; 确定 10 个非政府组织为合作伙伴	印刷和分发 500 万本宣传册子; 成立 50 个地方宣传中心
媒体传播	给媒体举办 5 次新闻发布会	在 6 个月内准备 30 份新闻稿; 安排 15 次新闻采访; 在 10 个不同的地方向 1 000 万电视观众宣传节水意识
教育	邀请教育界权威对学校课程设置中有关水的教材加以评估	给 1 万个学校的 500 万学生分发有关水的作业本
公共聚会	说服地方社区领导召开会议并举办节水展览	举办节水展览,吸引 50 万名观众
信息发布	为 5 个与水有关的行业提供节水咨询; 为 10 个城市的节水运动提供信息	为 10 个城市的用水户提供 2 000 万册有关水和节水的咨询材料

的宣传活动。大部分项目,包括城市的分项目,将主要包括旱季举办的短期节水活动。框图 2-11 是菲律宾的例子。尽管这些可能每年都要重复,经验表明,旱季举办的 3～6 个月的节水活动效果很好,特别是旱季较长的年份。

框图 2-11 菲律宾:节水活动

在极其缺水的 1997 年,菲律宾政府启动了为期一年的节水活动,名称为"人人要对用水负责",由环境和自然资源部与私营企业——企业形象策划有限公司共同管理。

目标:提高公众节水意识,在最干旱的季节开展节水行动。

内容:

准备教育和宣传材料;

社区动员;

为节水突出的个人和集体颁奖。

实施:

1997 年 3 月 21 日世界水日开始,为期 12 个月;

在主要城市马尼拉等开展。

目标群体:

公众,特别是缺水城市的用水户;

政府部门;

媒体;

非政府组织和环境保护主义者;

利益团体和有意见者。

行动计划:

在世界水日召开新闻发布会,宣布活动开始;

准备宣传材料,如电视广告、书面广告、贴画和不干胶,安排演讲(第 1～12 个月);

跨部门信息传播网络、信息传递、监测和评估(第 2～12 个月);

由 4 个政府部门合作开展社区节水项目(第 3～12 个月);

宣布节水比赛内容、预选、评奖和发奖(第 4～12 个月)。

资料来源:菲律宾环境和自然资源部,2000 年。

十一、确定预算并落实资金(第十步)

(一)确定预算

管理委员会必须根据拟开展的活动,所需的人力、物力和财力计算开展提高节水意识项目的经费,然后制定一个明确的活动计划来获取经费。活动计划的内容应包括项目战略、潜在利益以及有关资金来源和使用的筹资计划。应该充分考虑利益相关者和合作伙伴,包括赞助商和非政府组织,可能提供的现金及相关资助。管理委员会在与政府主办部门讨论活动计划和筹资计划时应充分说明情况,作为获取经费支持的前提。

由于在每个国家的项目单位成本不同,很难给出有关提高节水意识项目的费用估算,如果潜在的效益多,那么所需经费多也可以理解。例如,日本东京供水工程局 2000 年用总预算的 7%(2.38 亿美元)开展节水活动,包括减少渗漏和增加对输水管道的控制。韩国 1999 年启动了一项减少全国 70% 家庭和企业用水的项目,到 2004 年将用掉 6.75 亿美元。项目内容包括政府出钱强制要求在现有的楼房内安装节水设施,同时由新楼的开发商或业主出钱在新楼中安装节水设施。

根据缺水程度、节约下来的水的经济价值及所带来的公共卫生和环境效益等方面的情况,有些提高节水意识的项目可以不必像上述例子那么样花费昂贵。管理委员会在决定提高节水意识战略的目标和活动时,必须开展全面的成本效益核算。

(二)资金来源

提高节水意识项目的资金可能包括以下一种或几种:

(1)中央政府财政预算或有关的部委、机构的预算;

(2)省级或地方政府税收或中央政府给予的预算;

(3)供水公司收入;

(4)商业赞助;

(5)非政府组织;

(6)多边援助机构;

(7)双边援助机构。

当政府通过与非政府组织和赞助商的合作寻求外部资金时,透明度和信誉度至关重要。外部资金是用来帮助政府实现提高节水意识目标的,必须与项目相匹配。

1.中央政府

最直接的资金来自中央政府的预算,表明其对提高节水意识的支持和重视。或者,有关的部委或机构可以用它们自己预算的一部分来支持宣传节水意识的活动。

在日本、菲律宾、韩国和新加坡,水问题被摆到了政府议事日程的首要位置,宣传节水意识活动的资金主要来自中央政府或部门预算。

2.省级和地方政府

根据各国的财政结构,参与活动的省级和地方政府可以从当地税收中拿出部分资金来支持工作。或者,他们可以将中央政府分配的预算进行部分调整。

3.供水公司

地方供水公司在提高节水意识行动中发挥了牵头作用,大部分都成立了公共关系部,可以开展很多要求的宣传工作。减少供水损失和提高用水效率的直接经济受益者是供水公司,它们可以降低运行成本,推迟未来资本投入。因此,他们理所当然应该承担宣传活动的大部分费用。但是亚太地区的大部分供水公司目前由于收取水费不足,需要政府提供补贴,所以不能很好地支持节水宣传活动。这需要由管理委员会、供水公司和主管政府部门一事一议。

通过与私有公司签署转让或授权合同时规定的条款,可以要求私有公司帮助提高节水意识。如果没有这样的条款,可以与他们进行谈判,要么支持提高节水意识方面的活动,要么负责资助和实施战略中的一些具体工作。

4.商业赞助

应该有足够的空间募集企业捐款,如果他们本身就是大用水户,那么支持节水等大型公众活动无疑能提高他们的品牌形象。但是,必须向有意捐助的企业说明,接受他们的捐款并不表示政府支持他们的产品或他们有权力影响政府在节水及相关事务方面的政策制定和管理工作,如污染控制等。

应该对有意提供捐助企业的节水和环保工作加以调整,然后再确定是否签署伙伴协议。给予捐助企业的回报应该加以限制并明确规定,如展示他们的名字和标志,政府对其捐助的申明和在他们宣传材料中有关参与节水活动的描述。应该准备一份伙伴协议作为备份供公众审查。

5.非政府组织

对农村供水、公共卫生和健康、农村发展、教育和环境感兴趣的非政府组织也可以成为资金来源。他们通常比大型政府部门更能灵活筹集和分配资金。

很多非政府组织之间的合作日益增多。例如,国际水伙伴和水资助等非政府国际组织对节水的兴趣越来越浓,筹集资金,让有伙伴关系的当地非政府组织参与项目的实施。世界自然资金的宗旨是以促进包括水在内的自然资源的可持续利用来保护大自然,1995 年在 96 个国家投入了 2.52 亿美元开展以行动为目标的保护工作。

6.多边援助机构

亚洲开发银行和世界银行等多边援助机构自成立以来在亚太地区资助了很多供水和卫生项目。近年来,他们意识到节水对于水管理可持续发展重要性,可能对节水项目的申请比较支持,可以是独立的节水项目,也可以是改善供水项目的一部分内容。

7. 双边援助机构

一些双边援助机构为水行业的项目提供赠款或低息贷款,愿意为节水项目提供资助,包括日本海外协力基金、加拿大国际开发署、英国海外发展署和瑞典国际开发署。

十二、建立项目组(第十一步)

一旦提高节水意识项目的资金得到落实,管理委员会可以建立项目组来实施具体的工作。选定的项目经理应该有活动组织能力以及节水方面的技术知识。项目组其他成员应该主要包括全职的供水、环境管理、教育、营销和公共关系等方面的专家,他们可以来自不同的部门。如有必要,也可以外聘咨询专家。此外,还应为项目组配备支持人员开展后勤工作。每个项目组最佳人数为4~8人。

每个项目组都应有工作大纲,说明根据节水活动战略该项目组所需开展的各项工作及目标。该项目组根据这些工作任务制定工作计划,报项目经理批准。然后实施工作计划,分配预算资金,通过项目经理向管理委员会进行汇报。

任务清单通常视节水战略而定。下面的范例是提高节水意识活动中通常需要开展的工作。

在中央:

——制定水管和供水设施的国家标准;

——起草节水法规;

——确定节水日;

——制定学校节水课程;

——编写学校水知识读本;

——联系媒体,组织新闻发布和广播材料;

——设立节水网站。

在省级:

——联系省级领导,在当地加强节水;

——协助制定地方细则和规定;

——举办节水好经验竞赛;

——开展地方媒体报道和宣传。

在地方:

——与学校建立联系小组;

——在学校和大学举办节水讲座;

——组织公众会议和讨论;

——设计并组织短期节水活动;

——联系宗教领袖;

——组织文化活动和展览。

第十二、第十三、第十四步分别是实施、监控和评估。

第三章将讨论第十二步,即实施,第四章讨论第十三、第十四步,即监控和评估。

参考文献

[1] The New Delhi Statement:Report of the Global Consultation on Safe Water and Sanitation for the 1990s. New Delhi,10-14 September 1990

[2] Towards Better Programming:A Sanitation Handbook. UNICEF,1997

第三章　节水意识项目的实施

一、概述

这一章说明提高节水意识的第十二步——项目的实施。以下各个部分介绍了亚太地区和全世界实施项目的不同阶段的经验。

第二部分讨论了政府、水资源管理和供水机构、当地机构、非政府组织以及多边组织可以主动担任的角色。

第三部分说明了公众参与的重要性。

第四部分的内容是加强对专业人员、水资源使用者以及学生的教育。成功提高节水意识的一个重要项目就是加强在水资源和环境问题方面的教育。

第五部分介绍了提高节水意识所需要的技巧，重点在于沟通和传播信息。另外还有对妇女团体以及文盲的指导。

第六部分是对能够提高节水意识的各种方法的总结，可为不同的国家和各个地方的活动提供有益的参考。

二、各种组织的角色

举办活动提高公众的节水意识有以下三种主要实施者：

(1)各级政府，包括中央一级、省一级和当地政府；

(2)水资源管理和供应机构；

(3)由非政府组织支持的当地组织。

以上三种团体的责任在以下部分详细介绍，第四类可以提供支持的机构由多边组织构成。

(一)中央政府

增强节水意识的项目如果没有政府最高层的支持是不会获得成功的。行政命令必须由政府首脑和部长来颁布,并分别由相关组织负责实施。以下是一些例子:

(1)在韩国2000年3月22日世界节水日的开幕式上,韩国总统为全民节水活动揭幕;

(2)在菲律宾,一支由总统派遣的水资源开发和管理工作组开展了市民节水活动,并将其与清洁马尼拉的一条主要河流的项目相结合;

(3)在南非,水利部部长同时也是国家节水活动的主要赞助人,这一活动还得到了许多著名政治家和政府官员的赞助与支持;

(4)在英国,1997年当选的新政府在三星期内召开了由副总理主持的水资源峰会,并随之采取了一系列新方法推进水资源的有效利用。

中央政府需要比公众更早具有节水意识,以下是中央政府的一些任务。

1.推动全国性的节水活动

中央政府可以从中央层次进行特定的活动,这样可以给予最高政治层次的支持,以下是一些例子:

1995年,土库曼斯坦总统将每年4月的第一个星期天定为全国水节,以推动全国民众的节水意识的提高,详情参考框图3-1。

1995年南非水利部长在水利和林业部门的监督下推行了一项全国节水活动。这一活动的全国性目标是可持续、有效、公平地供给和使用水资源,并为其制定了50个项目,活动的口号是节水为明天。活动的主要内容有:

教育——针对学生和用水者;

环境影响的评估和审计——决策时必需的审计;

水资源管理——加强水库周围土地管理和地下水的保护;

土库曼斯坦国土面积 50 万 km^2,人口只有 420 万。只有南部靠近伊朗边境的一小块国土有人居住,其余大约 80％的国土都是无人居住的沙漠。

这个国家大部分地区的年均降水量只有 90mm,南部山区为 300mm,淡水资源十分短缺。土库曼斯坦和邻国乌兹别克斯坦达成了年引水 220 亿 m^3 的引水协议,从阿姆—达亚河引水提供灌溉和饮用。即便有如此大的引水量,水资源仍然极其短缺,需要更好地合理利用水资源。

1995 年,土库曼斯坦总统将每年 4 月的第一个星期天规定为全国水节,将水资源的开发和利用作为国家的头等大事。这一节日的口号是一句古老的土库曼谚语:滴水寸金。这一口号也被水资源管理部所采用。水节的众多活动提高了许多人的节水意识,针对免费使用水资源的人们强调了水的重要价值。国家电视台和广播电台在这一天播出特别制作的节目,在城乡间举行专题音乐会和运动会,城市广场上演出戏剧和其他表演,报纸和杂志也刊载了无数和水相关的文章。

资料来源:土库曼斯坦环境保护部,2000 年。

　　　征税——对超过基本需求量的耗水征税,取消对耗水量高的
　　　　　　用户的补贴;
　　　奖励——奖励高效灌溉和节约用水;
　　　控制——不鼓励各种低效的用水方式;
　　　调节——控制低效的用水和污染。
　　在框图 3-2 中是产生了良好效果的 3 个范例。
　　2.支持立法
　　经验证明,如果没有恰当的法律来惩罚恶劣的滥用、浪费和过度消耗水资源的状况,只通过自我约束来节约用水的话会具有很大的局限性。支持通过立法来加强公众的节水意识,并最终达到

合理利用和管理水资源的目的是中央政府的一项任务:

　　水资源保护——为公众的利益和环境保护水资源,并有效平衡水资源分配。通常需要建立一个国家级的水资源委员会,该委员会根据法律授权及政府的政策来保护和分配水资源。

　　供水保护——委托供水单位确保供水和水资源的合理利用。这牵涉到建立一个管理机构为供需双方设定管理目标,例如为供水系统制定可容许的漏水量,为供水管道系统提供相应的节水装置和器具。

　　像以色列和新加坡这种水资源极其短缺的国家,需要制定综合性的、严格的水资源法律。立法过程是一个长期和敏感的步骤，政府需要和水资源专家合作并和各用水部门协商。

3.良好的管理

政府部门和机构自身必须实施节水措施来确保节水意识在公众当中的推行。有一些政府要求他们自身的部门成立相关机构来管理、监督和促进他们内部对包括水资源在内的资源利用状况。其中一个典型的例子是中国香港，自 1988 年开始，政府部门和机构内部任命了超过 80 个"绿色"经理。他们的任务是通过促进自己部门的环保政策来"绿化"政府部门，其中就包括水资源的合理利用。到 1998 年，350 名政府官员通过了环境保护的培训，许多政府部门都开始实施环境监测并拥有了充分的节水意识。

(二)省级和地方政府

在新加坡、马尔代夫和以色列这种小国家里，水资源管理包括推广节约用水，由中央政府和专门机构来控制。例如在以色列，国家水资源的管理由国家基础建设部框架下的水资源委员会来实施。委员会有具体负责节水的机构，负责包括法律法规的完善、举办提倡公众节水意识的活动、实施和研究节水技术。

在其他一些较大的国家中，水资源的管理可能会由省级政府负责。在这种情形下，省级政府必须根据中央政府的政策来制定和完善用水政策。虽然立法可能是中央政府的责任，但是省级政府必须补充相应的地方性法律法规。各个省的节水政策有可能不一样，但是在共享水资源时必须协调一致，例如江河流域在两个或多个省的边界。

在某些国家，地方组织在水资源利用中起了主导地位，包括推行节水。这些机构可能是地方政府或半自治的城市水资源管理机构或董事局。例如在印度，德里地区国家管理机构和昌奈水资源自治委员会在各自的权力范围内推行节水。许多政府都积极推动储存雨水活动，为群众提供一个简便有效的解决水资源短缺的办法。

以上信息说明,在推行和完善提高节水意识活动的政策与立法中,重要的是以上三级政府机构都对现行和未来的政策充分重视。另外,供水部门必须充分理解无论是地方的、省一级的还是中央政府的政策,因为在节水意识推广中,虽然供水部门扮演了一个主要角色,但如果提高节水意识的政策没有以上三级政府的配合,那是不会成功的。

(三)水资源和供水机构

1.流域机构

河流并不是按照行政区划流动的,所以许多国家将河流或水库的管理进行集中。许多河流都是跨省的,还有一些是跨国界的。

节水始于未净化的水资源,为实行流域管理而设立的机构有责任倡导节水意识。澳大利亚的墨累—达令河流域委员会在倡导公众认识流域可持续发展上有个大项目,该项目在分配用水权时跨越了州的边界。湄公河委员会管理的是一条跨越 6 个国家的河流,他们正在制定平均、有效分配用水权的规则,重点放在成立用水户团体来教育各利益相关方。

咸海流域的问题可能是亚洲地区水资源管理中问题最严重的(框图 3-3)。流域内 5 个国家认识到节水对寻求解决方案是非常重要的。因此,在国际拯救咸海基金会的支持下,正在实施一个流域范围内的提高公众节水意识计划。这个计划目标是让公众认识到节水的重要性,从而把用水户引导到正确的行为方式上来。

在孟加拉国,大多数水资源都源自境外。该国在 1999 年颁布的水管理政策提出,联合同流域的周边国家来进行流域管理是分配共有水资源的有效方式,而且正在向人民宣传这个理念。

在所有这些案例中,知识上的空白仍然是针对目前的用水情况以及未来所需的有效用水。提高节水意识的计划能够为提高用水效率提供技术上的协助。

框图 3-3 提高咸海流域范围内的公众意识

为了解决咸海流域内的生态危机,中亚 5 个国家(哈萨克斯坦、吉尔吉斯斯坦、塔吉克斯坦、土库曼斯坦和乌兹别克斯坦)成立了一个政府间组织:国际拯救咸海基金会,该基金会自成立以来,已经得到了国际社团的支持。在基金会的支持下,咸海流域已专门制定了一些项目和计划来解决首要的一些问题。

这些首要问题之一就是提高公众对水资源价值的认识以及对节水必要性的认识,从而使用水户以更有效的方式节约用水,并保护水资源免受浪费和污染。这一项工作由设立在塔什干的基金会 GEF 部负责,执行咸海流域计划中的 B 项——"公众意识"。

1999 年,5 个中亚国家设立了提高公众对水问题认识的国家工作组,以制定有关提高公众意识的策略和政策,并协调和管理有关认识与教育的计划及活动。每个工作组由水管理机构、教育机构和媒体的代表组成,已经与可能的工作对象建立了联系,并试验了各种发布信息的方法,制定了计划和实施公众教育活动的方法。2000 年初,为满足各国各自的需求,发动了各国的提高公众意识活动。启动了一些鼓励节水的示范性项目(特别是在农业灌溉中)。后来举行了一些有关的会议、研讨会、展览和竞赛,确定了评估提高公众意识活动有效性的方法。2001～2002 年,按计划发动了大型、积极的公众活动来庆祝在各个经济领域减少用水 5 个百分点的成就。中央和省级政府、非政府组织和国际团体对这些活动提供了支持。亚太经社会也对此有所贡献,2001 年 4 月在塔什干,与国际拯救咸海基金会 GEF 部联合举办了一个有关提高水资源有效利用的公众意识的研讨会。

资料来源:国际拯救咸海基金会 GEF 部。

2. 供水组织

(1)供方管理。特别推荐供水部门和供水公司在进行提高节水意识工作之前制定并采用综合的节水计划。如果消费者看到向他们供水的单位本身在管理供方行为时就很低效,那么让消费者减少需方用水量是很难的。

就供方行为来讲,供水部门的节水计划很可能把重点放在减少和控制非赢利性水(NRW),也就是不会为供水部门赢利而进入供水系统的那部分水量。供水行为应该考虑到非赢利性水的下列所有问题:

检查和修补漏水,漏水往往是非赢利性水的最大组成部分;

修理和更换消费者所用水表的滚动方案,以减少未登记的水表;

提供编制账单、清算账目和征收水费的工作效率,以保证所有消费者都准确并及时地注册在账;

检查和杜绝没有注册的消费途径,那种消费实际上就是偷水。

目前在亚太地区非赢利性水常常占40%。是否能以经济的方式减少非赢利性水,需对各种案例逐个进行审核,但经验显示,25%才是合理的第一标准。在资源稀缺的新加坡,有几乎一半的未净化水是从相邻的马来西亚进口的,供应净化水的费用很高,而非赢利性水的水平目前保持在大约6个百分点,是世界上水平最低的国家之一。

供水部门还需要确保其水处理厂处于有效运行状况,所供应水的水质要符合当地法律的规定,传送和分水系统的其他部分(包括泵水站和水库)是在最大效率的运行和维护状态。

(2)需方管理。如果有了积极的、改进供方行为效率的计划,供水部门就可以将其重点转移到节水计划中的需方部分。其中包括:

水价。供水部门应该征收水费,以维持供水设施的费用支出。在低级消费水平,往往是在贫困人群中,可能在水价上需要补助,以保证最低的生活需求,而对于为不必要目的消费的水应收取较高的水费。

水价设计是提高节水意识的一个重要工具。比如在新加坡,使用了补偿全部费用的办法,而对额外的用水追加节水税,以示资源的稀缺性以及开发新能源的高额代价(框图3-4)。

　　教育和信息。供水部门应经常性地、明确地向其消费者告知水的真实价格、水价组成和如何节水,应有导向地组织公众(特别是儿童)参观水加工和供水设施,让他们更好地明白从水龙头里流出的水是怎么得到的。

　　用水审计。供水部门应为大型住户群、商业、工业和机构消费者提供免费的用水审计,以评估如何用水。这样用水部门的人员才能决定并向消费者建议如何降低消耗量,比如,减少浪费性的用水,修补管道系统中的漏水。

　　提倡使用节水设备。在进行用水审计后,供水部门应提倡其消费者使用节水设备和提高用水效率的设施,这可以通过提高管道使用标准来实现,规范一些设施的使用,比如低水量的厕所、低流量的淋浴喷头和自动关闭的水龙头。日本、韩国和新加坡的一些供水部门都在提倡使用,有时也资助安装这些节水设施。

　　废水再利用和雨水储藏。在缺水地区,供水部门可提倡再次利用为洗浴、冷却等目的而使用且没有重度污染的生活和商业废

水。擦洗地板和灌溉花园的水的再次利用是其中的两种。日本和新加坡是地区内提倡再次利用的先驱者。还有一些在废水再利用之外的补充方案是从屋顶、停车场和城市中的其他铺砌地区收集雨水,再把雨水抽到屋顶的储水罐中,用来冲厕所。

马尔代夫提倡在其乡村岛屿上收集雨水,政府为居民用水塔的修建提供贷款。近年来已经修建了 7 000 个水塔,覆盖了大约 1/4 的家庭。

经济鼓励。供水部门对采用节水措施的用水户给予经济鼓励,或者是直接资助,或者是减少收费。例如,对安装了全套节水设备的新的工业消费用水户可降低入网费用,对使用低水量厕所或其他节水设施的居民补助购买和安装费用。

(3)选择适当的措施。供需双方的各种节水措施都应进行费用分析,以选择可获得最大收益的措施。这需要计算一个国家(在地方情况不同时针对大国的某个省)用水的全部经济费用。在最终确定某个地区的节水计划之前,供水部门可以试点采取部分措施以评估成效。

(4)典型的节水计划。悉尼水务局是澳大利亚的一个私营供水公司,根据其运行许可要实施一个节水策略,其中包括对供需双方的管理。政策制定于 1995 年,目标是维持从 1980 年就保持的30%的节水率,这代表平均每年人均减少 1.5% ~2% 的消耗量。该公司在 1995~1996 年制定了 350 万澳元的预算来实施下列供方管理和需方的 4 个管理计划。

供方管理

通过检测和修补漏水、改进水表的精确度来减少 NRW;

继续审核和改进运行程序;

继续开展国际研究和商讨行动。

需方管理

重要的利益相关方:

对消费者进行水审计；

继续提倡使用节水的洗浴设施；

提倡使用设施的节水定额和标记系统；

继续与环保组织和福利团体、生产商和零售商、能源部门和园林单位合作；

继续开发采用明智用水的方案；

回顾和开展学校教育；

协商规划者、建设者、建筑师和管道工共同制定政策。

提高水的再次利用率：

提倡循环利用污水处理厂的水；

继续开发水的再次利用市场；

继续研究居民饮用水的再次利用和社团教育；

饮用水再次利用示范设施。

影响用水户行为：

进一步发展以社区为单位的交流和教育计划，包括开展和执行"珍惜每一滴水"活动；

参加推广活动和展览；

研究最终用途，包括文化差异，并进行用水跟踪研究；

制定与残障用水户之间的交流战略；

坚持每季度检查住户水表；

对既定的社团和商业设施进行用水效率测试。

改进水价制度：

建立更能反映价格的水价制度，维持安全网的运行；

研究用户对价格的观点，调查不同季节的定价；

加强使用边际成本计算法；

增加用水收费与固定的服务费用的比率；

发布长期的水价浮动的图表；

向审批单位提交未来的中期水价建议。

(5)提高节水意识。供水机构现在准备实施其制定好的节水计划,同时开始积极向所有利益相关方提倡节水意识。主要活动总的说来分为以下几种。

与政府联络。供水机构需要与政府负责提高节水意识的部门、管理部门和类似机构(如流域管理机构)交流其计划与活动。协调工作十分重要,可借用以前的经验来审核并改进所有有关机构的工作。之后就可以根据实际经验来制定支持性的法律和管理政策了。

社会营销。应提倡节水意识是每个用水者的社会责任。为了说服机构的职员和用水者,就需要社会发展部门的参与,并采取有想像力和专业的方式。

媒体运作。供水机构需要借助媒体来提倡节水意识,针对各种目标群体来选择最适合的媒介方式。与媒体合作,需要供水机构有一个强大的、经验丰富的公共关系部门。

教育活动。公共教育活动必不可少,供水机构应与中小学、大学和社团组织建立联系。供水机构应指定他们的教育官员(如果机构很大,也可以是教育部门)与政府的教育部门合作,开发适用于学生和社团的教学材料,协助职业教师的工作,并与在社团级别工作的社会学家和非政府组织进行协调。经验显示教育活动在提倡节水意识和树立机构形象上是很有成本效率的。

会议、展览和文化活动。供水机构应主办或协办以节水意识为主题的各种会议、展览和文化活动。应准备好与专业活动组织者的合作,在本机构中选择职员来为参加者提供友好和具有知识性的介绍。这种活动提供了一个极好的机会来与用水者交流,并可借此机会发放节水信息材料。

向用水户发放信息。向供水机构的用水户直接发布信息可以通过发放信息传单和建议手册(可与账单一同发放,也可单独投寄)来进行。除了有关如何节水的信息之外,材料中还应提供好的

节水实例和成就。供水机构应考虑雇用设计咨询专家来确保提供的信息具有吸引力、连贯性，并适合于目标读者。在某些地方，信息材料可能需要采用几种语言或使用图例。

供水机构还应让其职员与用水户建立日常联系，以便发放信息并提供有利于用水户的建议。查水表的职员和挨家挨户收费的职员（这在泰国很广泛）会注意到高消耗量，就可以告诉用水户可能有漏水情况或管道系统效率低。

下列是有关教育和信息分发活动的两个例子。框图 3-5 是 EPA 针对美国用水情况制作的活动一览表，框图 3-6 总结了英格兰和威尔士私营供水公司在 1998～1999 年举办的提高节水意识的活动。

框图 3-5　美国:供水机构发布信息和教育活动一览表

基层
　　简单易懂的水费单:
　　　　有关水价和用水量的简单易懂的信息;
　　　　有关节水的标题信息。
　　可获得的信息:
　　　　有关基本的家庭节水的小册子;
　　　　有关管道更新和替换的小册子;
　　有关旱季浇灌草坪和节水美化的小册子。

中级(基层活动加上以下活动)
　　有关水费单的信息:
　　　　与过去的用水量比较(上个月,去年同期);
　　　　标出超乎寻常的高用水量并通知用水户;
　　　　为各种用水户量身定做的信息。

水费单中的插图：
　　　　有关水的费用和价值的信息；
　　　　基本的节水小窍门；
　　　　有关地方或国家节水项目的信息；
　　　　有关水、卫生和公共健康的信息；
　　　　有关当地水资源状况的信息。
学校活动：
　　　　参观教室；
　　　　分发课程材料，如学生作业单和彩色书籍；
　　　　播放短片或幻灯片；
　　　　现场参观水系统设施；
　　　　开展海报和新点子等的竞赛和认知活动。
公众教育项目：
　　　　新闻发布、公共场所广告和公共服务设施的告示（各种媒介）；
　　　　节水网站；
　　　　节水信息中心和移动信息亭；
　　　　为社团组织准备的演讲台、电影和幻灯片；
　　　　与市民以及专业组织资源之间的协调；
　　　　与环保和水利非政府组织之间的协调；
　　　　特别活动，如节水展览会；
　　　　在家庭、公园、集会、图书馆和市政厅举办的展览；
　　　　与管道零售商合作，推动节水措施；
　　　　通过奖励制度认可节水行业和工业。

高级（基层活动及中级活动加上下列活动）
　　研讨会：
　　　　　　为管道工、管道设施供货商和建筑者召开研讨会；
　　　　　　为美化和灌溉服务商召开研讨会；
　　　　　　为地方政府官员和供水机构职员召开研讨会。
　　咨询委员会：
　　　　　　建立地方级和国家级的公共咨询委员会。
　　交流战略：
　　　　　　制作、协商、执行和监测战略的实施。

资料来源：EPA节水计划导则，1998年。

框图 3-6　英格兰和威尔士：由 26 个私营供水公司倡导的 WCA 活动			
家庭用户	1998/1999 年 参与活动的 公司数目	非家庭用户	1998/1999 年 参与活动的 公司数目
小册子/信函	26	文学	23
移动式访问中心	13	研讨会	8
访问中心	15	访问	23
媒体影响			
电视	4		
收音机	10	教育	
报纸	17		
杂志	11	Packs	21
互联网	18	竞赛	10
海报	6	访谈	18
自助店和花园	11		
中心商场倡议活动		戏剧	5
竞赛	12	教育官员和咨询专家	6
农业/户外表演	16	教育中心	4
环境报告	3	学校巡视/参观	5
开放日和展览	6		
访谈和巡回表演	6		
工作访问/巡视	3		
资料来源：英国用水服务办公室，1999 年。			

　　(6)为供水机构职员建立节水网络。在一个供水机构中，提高节水意识专家经常单独工作或者在一个小单位里工作。如果这些专家能与其他供水机构的同行之间建立一个非正式的网络，分享和交换在提高节水意识工作方面的信息与经验，将会非常有益。典型的网络群体可以包括致力于公共关系、教育、水行业新闻和节水管理方面的人员，因特网也可以为这个网络提供一个理想的媒介。

(四)社团自发行动

尽管提倡 WCA 的政策从上到下都筹备到位,在实施上(特别是在地方社团)却应自下而上。从一开始就鼓励社团层次的公众参与更能促进观念和行为上的改变。根据当地情况可以量身定做具体的活动,活动的详细情况可以体现在社团的反馈报告里,通过有节水经验的非政府组织参与这种社团活动,更能增加有效性。第三章详细讲述了社团参与的原则和规则,但在这里谈到的组织活动中,社团团体的主要行动如下:

(1)确定当地的水问题;

(2)确定地区内最近的或正在进行的其他节水、卫生、健康和环保活动;

(3)确定类似或互补兴趣的非政府组织和附近的其他团体组织;

(4)调查可能的资金来源,包括商业赞助;

(5)与合作机构一起确定适合社团情况和环境的 WCA 倡导活动内容;

(6)建立与地方和省级政府领导沟通的渠道;

(7)监测活动过程,并定期向合作伙伴报告。

非政府组织的自发行动很大程度上依靠那些愿意成为 WCA 倡导活动合作伙伴的非政府组织的经验和专家资源。其中的一个自发行动可能是收集雨水,亚太地区许多国家的政府都在提倡这个行为,而基础工作常常都由非政府组织来做。在孟加拉国,联合国儿童基金会资助了一个以社团为基础的行动研究项目,在非政府组织的帮助下安装雨水收集和储存系统。在印度,非政府组织在提倡 WCA 的活动中起了很大的作用,包括教育农民晚间灌溉的好处和过度浇灌的负面效果。

(五)多边机构支持

多边机构可以广泛利用多方技能和经验,向国家政府和 WCA

水管理部门提出建议,并直接与大众沟通。亚洲开发银行常常在其为供水工程提供的贷款中加入节水计划,并在整个亚太地区广泛利用资源为节水做出了努力。联合国在 1993 年提出把每年的 3 月 22 日定为世界水日,由联合国各个主要机构主办,每年一个主题,加深了对水的问题的认识,并推动了国际参与和合作。

1999 年世界水日由联合国环境规划署主办,主题为"每个人都生活在下游",即每个人都可能会受到邻居使用淡水的影响。在不丹的 20 个区里,有 15 个区都举办了水日活动,集会中提出了新的农村供水工程,并讨论了以下主题:

(1)水资源的良好管理,包括家庭用水、牲畜饲养和灌溉的有效使用;

(2)保护饮用水资源免受动物和人类行为污染的必要性;

(3)种植树木,以防止水土流失和水资源干涸;

(4)保持河水的清洁;

(5)正确储备和处理饮用水;

(6)通过提高个人卫生和正确的保护与储备食物方法来防止和控制由水携带的疾病;

(7)社团在有效运行和维护农村供水计划中的作用。

有些有关水和卫生的计划是通过广播传播的,国家级报纸对水的问题发布了一个补充说明。水日证明是一种有用的、可以传递重要信息的方式,不丹政府计划每年都举办类似的活动。

2000 年世界水日由联合国教科文组织(UNESCO)主办,主题是"21 世纪的水"。为了协助举办水日,作为地区焦点的亚太经社会提供了如下帮助:

(1)地区背景信息;

(2)地区新闻发布;

(3)有关水的展览;

(4)对地方节水行为的建议,包括有关水知识的测验;

(5)向地区内国家的政府提供信息；

(6)地区行动的报告。

多边机构也可以在能力建设中起到重要作用,例如通过举办培训研讨会、学术会议,制作指导手册,组织供水单位的职员交流节水认识。亚太经社会就在这些促进地区内用水效率和节水的活动中起到了先锋作用。1997 年,亚太经社会和新加坡政府联合举办了一个为期三天的地区研讨会,主题为城市的有效用水,参会者来自地区内 16 个国家。研讨会上提出决策所需的公众支持应通过开展提高认识和教育活动来获取,此指导文件也会对达成那些目标有所帮助。

倡导节水意识活动所需的资金应包括在多边机构为寻求资金而制定的供水发展计划中。大多数多边机构都欢迎对节水的重视。

三、公众参与和社团参与

(一)社团参与的作用

社会经济的发展、更好的教育水平和更丰富的信息资源能帮助希望参与政府决策的公众不断提高其知识水平。在节水方面,政府和公众之间的积极互动能够帮助避免出现冲突和分歧。在倡导节水意识的过程中让社团参与,可以有助于制定和实施目标明确的教育计划,从而得到积极的成果。

政府应通过建设政府和人民之间的合作伙伴关系来促进所有利益相关方的参与(尤其是在城市周边地区和农村),以提高公众的节水意识。这些合作伙伴关系应包括规划、联合决策、WCA 项目的实施以及水基础设施的建立、运行和维护等工作。政府还应通过开办学校课程和其他适当方式来加强公众教育,支持合作伙伴关系的建设,并为公众提供信息,告诉他们为什么需要实施合理的倡导节水意识项目。

社团参与是指各种层次的社团参加到与提高节水意识有关的活动中来。可以是小团体对某个特别问题有兴趣,也可以是国家级别的大型组织积极发动的活动,比如在每年的世界水日所举办的各种活动。

社团的参与程度以下列因素为基础:

(1)意识——社团了解到与水有关的问题和有关的解决办法。

(2)协商——向社团了解其信息和观点,并纳入考虑。请社团对提议进行审核和发表意见。

(3)参与——请社团积极参加项目,提供或分析信息,或提出可供选择的行动建议。

(4)行动——为实现项目目标,社团预备采取需负责任的措施。

通过在决策过程中纳入社团的观点和知识,社团的参与可为倡导节水意识项目做出贡献。在某些实例中,这可以帮助找到原先没有考虑的选择。这种参与还能鼓励社团对项目做出长期承诺,并希望看到收获的成果。

(二)实现社团参与

为使社团有效地参与到项目中(如倡导节水意识项目),需以下7个基本步骤。

第一步:确定向社团提供的关键信息,并说明主要的项目目标。

第二步:请社团确定组织和个人在项目中的兴趣水平,并确定他们可能的职责作用。

第三步:确保重要决策者了解社团的作用、期望值和资源,并在项目中做全面的考虑。

第四步:确定社团参与的目标。

第五步:确定策略和社团参与水平的最好结合,以达成目标。

第六步:制作一个计划,包括评估社团参与程度所需的费用、任务安排、规定。

第七步：与社团组织和个人签订协议，说明其任务和责任，而后开始执行计划。

某些步骤可能要结合起来，但重要的是，哪一步都不能漏掉。从某种程度上讲，这个程序可以反复使用，针对变化的信息情况，某些步骤需要重新审视。

（三）社团在项目执行过程中的参与

为延长社团在整个项目中的参与时间，可以采取下列一些步骤。

（1）指定一名协调员，从事社团参与的协调工作。一个高效的协调员不必在社团工作中活跃或者突出，但必须是公正的，要承诺为节水意识项目努力获得最好的结果。

（2）确定地方的积极人物。社团中积极倡导或参与到此类项目和计划中的成员。

（3）寻求主办机构。在社团层次提供行政管理上的支持，如非政府组织。但社团代表应保留其在考虑项目相关事务上的独立性。

（4）坚持项目管理原则。在整个项目执行期间为社团代表提供一个指导方向和最终目标。

（四）用水户协会

社团参与可以通过成立用水户协会获得永久性的身份，这在一些地区性国家的水项目中得到了实践。

在蒙古，政府通过为批准的启动项目提供支持来鼓励成立用水户协会。蒙古政府急于降低目前很高的用水消耗量，在首都乌兰巴托，平均每人每天耗水 400L，这在很大程度上是由浪费导致的。政府提供技术信息和支持，并与协会在节水教育项目上进行合作。

用水户协会中最古老并且最成功的一个范例是印度尼西亚巴里的 Subak 协会。早在 1 000 年前，这些协会就自行实施了稻米种植梯田地区的重力灌溉系统。协会组织和规范各种活动,协会成员必须每月参加集会。结果就是使用水户形成了完整的水管理意识,并获得了高效的灌溉系统。

四、教育和信息项目

教育和提供信息是倡导节水意识的重点,目标针对三类人。第一类是从事开发、规划、管理水和保护环境的水利专家。用水户是第二类,在这个指导文件中,主要指的是供水单位的客户,包括家庭、商业、公共机构和工业。但是,按行业划分的话,最大的用水户是农业,节水意识的倡导需要针对那些以灌溉为目的的用水户。第三类包括儿童和学生,在他们受教育期间让他们接触到水的问题,能加强他们在将来的节水意识。

(一)水利专家

这一类中的目标人物应在制定节水意识策略(见第二章第六部分)中的第五步中确定,应包括公有/私营行业组织中负责或有兴趣进行规划、实施和管理水问题的职员,这种组织包括:

(1)负责水事务、总体规划、社会经济发展、研究和环境管理的国家级、省级和当地政府部门和机构;

(2)供水服务单位;

(3)非政府组织。

目的是使目标人物确信节水至关重要,因为淡水是有限的资源,是经济物资,其有效使用对国家的整体经济发展非常重要。

1.国家级、省级和当地政府部门与机构

教育以节水意识管理委员会组织的研讨会和专题讨论会为依托,提供机会让各个级别的水利专家聚集一堂。部门代表介绍他们在水资源开发和管理及供应上所做的工作,并应给他们提供时间向大众推广并在网上公布推广内容。

2.供水服务单位

这些单位包括水理事会、供水单位和私营供水公司。教育的开始是假设这些单位对水的问题有良好的技术层面的了解。

把水理事会的成员和管理人员包括在内，是因为他们负责重要的决策任务。负责各级别管理和技术培训的人员都应包括在内。执行管理者要理解让顾客加入协商和参与体制的好处，同时制定规划者应了解在他们未来的项目规模和预算中考虑节水问题的益处。从事客户服务和收费的人员需了解他们在与顾客交流中所起到的重要作用。还需要告诉公共关系和教育部门如何利用同类部门哪方面的资源，并建立日常的工作关系。也可以包括较低级别的专家和技术人员，特别是那些与顾客有日常联系的人员，可以对他们进行培训使其将节水信息带给顾客。

教育应建立在一系列课程、研讨会和专题讨论会的基础上，由拜访专家开始，必要时，可包括由节水意识管理委员会雇用的咨询专家。主题包括：

(1)资源管理和环境影响的考虑；

(2)流域内水的均衡；

(3)水资源量的季节变化，干旱和天气变化的影响；

(4)供需之间的平衡；

(5)节水的总体要求；

(6)有效的供方管理，包括减少和控制非受益性用水；

(7)需求方管理，包括各种用水；

(8)信息管理；

(9)交流并管理媒体；

(10)管理公众的协商和参与。

除了课堂上的培训，还要把被选中的人员送去参加中短期的技术或专业发展课程。短期课程如最近在英国纽卡斯尔大学举办的"节水和需求管理"课程。这个课程接收国外学员，为期一周，包括下列主题：

节水环境——历史、法律、规范和政策，把需求管理综合到水资源规划中。

发展经济——需求预测法，供需平衡，需方管理经济学。

管理漏水——比较国际上的漏水和节水范例，管理可用的漏水，漏水的经济水平。

为家省水——水的规范使用和有效利用，家庭节水活动，水的再利用和灰色水循环，监测客户反应。

交流问题——宣传和交流提高有关节水的意识的方法，缺水管理，因特网上的节水知识。

美国水工程协会(AWWA)每年都举办几次有关的中短期培训。例如，在参加 AWWA 加利福尼亚—内华达分会举办的节水课程后，通过考试可得到证书。

3.非政府组织

在确定把非政府组织作为倡导节水意识战略的合作伙伴以后（见第二章第七部分，制定战略的第六步），可邀请指定的非政府组织中的专业人员参加上述为供水单位提供的类似教育培训课程，也可另外为非政府组织职员组织专门的类似的课程培训。

(二)用水户

教育和信息项目必须量身定制，以达到改变用水户节水观点和行为的最高目标。这些项目应把重点放在对用水户的下列教育上：

(1)了解过度浪费对社会和环境造成的影响；

(2)了解缺水的原因；

(3)懂得水的真正价值；

(4)接受全额补偿中使用者付钱的原则；

(5)知道如何节水；

(6)避免浪费和低效的使用。

在计划和实施教育与信息项目中,应考虑到用水户所处的社会、经济和文化氛围,各个国家多多少少都会在教育用水户的方式上有所变通。这些项目还需要符合不同用水户的不同条件,例如:计表的和不计表的;家庭的和非家庭的,富有的和贫穷的,受到良好教育的和未受良好教育的,有文化的和文盲。下列分类对采取不同的教育方法给出了一些指导。

1.用水少的家庭

用水少的家庭大抵都是贫穷的、未受过良好教育的家庭,其中很多没有用到供水管道。如果家庭成员不得不从非正规的水源取水,或从卖水商那里买水,他们就不可能在用水时随意浪费。在这种情况下,倡导节水意识就处于次要地位,第一重要的应当是加强卫生条件,那些致力于加强公共卫生的组织最希望与这个群体进行合作。

但是,经验显示,公共卫生教育的结果产生了对管道供水的需求,研究结果[4]表明,水的耗费量随着使用管道供水而大幅度增加。在社会发展中这是值得欣喜的一步,这意味着,在向这个群体传播基本的节水意识信息时(即使在他们用上管道供水之前),什么都不会失去。而一旦安装上了供水管道,他们需要有人告诉他们如何预算支付水费,如何避免浪费水的同时也保障卫生标准,以及简单的再利用,比如用洗漱后的水去冲厕所。

向这个群体进行教育和提供信息的最有效方法是通过地方社团会议、访问和简单的有图表的印刷材料。在很多国家,最有效的方式是在地方卫生中心、宗教场所和其他集会地(如市场)进行交流。

2.用水多的家庭

城镇中用水多的家庭会使用管道供水。在许多国家,水费不能反映供水服务的真正价格,因此节水就没有动力。越来越多富有的和受教育程度高的家庭开始理解有关供水的社会和环境问题。

为这些用户提供的教育信息可以跟水费单一起发送,或单独以邮件投递。重点应放在对供水服务进行全额补偿的必要性、按表计费的公正性和在家庭中节水的小窍门上(框图 3-7 是来自日本东京供水公司的例子)。这些群体通常可以通过各种媒体渠道(包括报纸和电视)来接触到。

框图 3-7　日本:你也能避免让水漏走
(选自与水费单一起发送的印刷手册)

供水设施包括供水管道都是您的财产,您要负责它们的维护。水白白流走会给您造成额外的费用,并浪费掉珍贵的资源。流走的水量一天比一天大,请立即查看哪里在漏水并把它们修好。

如果没有用水,而水表还在走,就可能在漏水。请检查下列漏水点,并立即修复。有关详情,请询问客户服务站。

检查点	如何找到漏水点	如何防止漏水
水龙头	漏水开始是缓慢的滴水	如果水龙头很难关紧,别用力,尽快修理
冲水马桶	即使不用的时候还在流水	请养成使用前检查的习惯
水箱	总听见水在流的声音	偶尔检查一下水箱上是否有裂缝或漏洞
	水溢出水箱	安装警笛
埋设管道的墙	管道周围的墙都湿了	偶尔检查房间外面
埋设管道周围的地表	埋设管道周围的地湿了	在埋设管道的地面上不要放东西,这样很容易能发现漏水
排水检查箱	总有干净的水流出来	经常打开盖子检查

资料来源:东京供水公司,2000 年。

3.工业用水户

历史上,在大多数工业的供水费用(即使在有全额水价的发达经济中)中,运行费用都占很小的部分,管理者往往认识不到通过减少用水量来节省费用的可能性。最近,有几个国家开展了审计用水和减少浪费的活动,表明工业能通过降低耗水量节省很多水,而且可以降低废水处理的费用。

对工业管理者的节水意识教育应首先建立在可能会降低费用以及对产品价格和竞争性有所影响的基础之上。应把有关可能节省下来的费用和节水设施较短回收期的典型例子向工业从业者宣传。同时也要强调他们的社会和环境责任,并在适当情况下告诉他们,对某些行为(特别是废水排放)会采取强制性措施和更高的收费。

宣传节水意识和采取行动的最有效办法是通过减少浪费计划,应包括针对个人的研讨会,有关用水和废水处理的典型费用节省信息可以在会上分发。个人参观大型用水户也是有效的办法,可以对用水进行评估并对节水提出建议。

减少浪费可以帮助各行业降低生产成本,改善环境。这涉及到对所有造成浪费的生产及辅助程序、更好的家务管理以及减少浪费的工作方法的系统审查。如果证明可以节省费用,就可以用减少浪费(也就是节水)的同类现代方法来替代原来的生产程序。

有些国家有减少浪费俱乐部[5],是公司组成的非正式自助团体,一同采取行动来减少浪费和节约费用。为了彼此的利益,各个成员交换在有关行动上的进度情况并进行合作,常常能在采购设备方面达到节省的目的。鼓励在倡导节省意识的那些国家里采用这种俱乐部的方法,因为这种俱乐部可以为那些倡导节水意识的团体提供讨论和交流的场所。

4.商业用水户

在这类用水户中有一些用水量非常大,如旅馆、餐厅和洗衣店。向这类用水户倡导节水意识应告诉他们,减少耗水量可以很大程度上降低商务成本,同时要让他们知道他们必须遵守的排水规范。

为寻求最有效并省钱的节水方法,应对用水进行审计。可以由提高节水意识项目小组分发检查单让用水户自行审计,也可由项目小组到用水场所进行审计,并把使用节水设施的好处告诉用水户。

减少浪费俱乐部也适用于商业用水户。在有些国家按行业成立的俱乐部就证明是非常有效的,鼓励他们互相督促,比如洗衣店、旅馆和办公楼。

有些商业部门(如旅馆)要依靠国外游客。旅游者对环境的要求更多一些,因此他们在选择目的地和旅馆的时候会考虑到环境,一些旅游公司会对旅馆的环境管理标准(包括节水实践)提出建议。

5.公共设施用水户

政府和类似政府机关的机构(如办公室、大众医院、学校以及军事机构)经常由建筑群组成,人群密度大,也是大的用水户。低效的或维护差的中央空调设施或暖气系统会消耗大量的水。

节水信息应在政府推广的提高节水意识政策的实例中体现。执行项目组的最好办法是进行水的审计,随后安装节水设施,可能同时实施的还有减少浪费的计划。应鼓励每个政府部门设立可持续发展部门,如本章第二部分中所述。

应鼓励供水单位针对大型的工商和公共设施用水户实施水管理计划。这个方法在一些国家已经得到成功的实践,计划包括:

(1)发布介绍节水技术的材料;

(2)教育和培训研讨会;

(3)免费的水审计、回收期分析和协助制定水管理计划。

此类计划应把重点放在节水的四个主要方面:建筑和工厂的

维护、用水少的冷却和加热系统、用水少的加工设备和管道系统中的节水设施。

6.农业用水户

在农业行业中详细说明提高节水意识的方法超出了此导则的范围,但本书中提到了一些重要问题,以此作为日后更细致的考虑的基础。

在亚太地区,70%～80%的未净化水资源都用于农业。首先这表示节水有很大的余地,但需要对水资源、农业使用、城市和农村发展、公众健康和环境之间的关系进行仔细的分析。农业地区及有关的农村社团的节水意识计划,需要解决更大范围内的课题,如森林砍伐、山地耕种、土地使用、淤积、盐田渗漏、水质、土地拥有权和水权。

农业劳作者和农村社团需要得到以下方面的教育:

(1)上游的人类活动会改变水量和水质;

(2)综合水资源管理的必要性和社团参与的重要性;

(3)他们在保护农村环境和河流流域地区上的职责。

对农业水管理者和劳作者传播信息和进行教育需要分别制作以下信息:

(1)灌溉中大量使用的并经常浪费的水;

(2)提高农业用水效率的机会和有效用水对农村整体发展的好处;

(3)灌溉排水对下游用水户的影响,包括化肥和杀虫剂可能对排水造成的污染风险。

城市居民需要的信息和教育:无控制的城市和工业废水排泄对地表水与地下水造成的损害以及对农业劳作者及其庄稼的危害。

(三)儿童和学生

向儿童和学生做有关环境方面的教育就是教育未来的社会采

取一种可以让自然资源(包括水)可持续发展的生活方式。学校、学院和大学开设的正式与非正式课程可成为此类教育的媒介。儿童从家庭日常生活中获得的知识(如理智用水)也可以影响到他们的家庭并延伸到家庭团体。这为孩子及其家庭提供了一个理想的实践新知识的机会,并对他们的生活和环境起到了潜移默化的作用。

1. 学校里的水和环境教育

儿童对世界总是很好奇并善于接纳,根据教育的情况,也是最适合、愿意以身作则为更好的环境而努力的团体。但是,在一些国家事实证明,仅仅学习用以检验的事实远远不如实际参与解决当地水和环境的问题有效。1995 年一份关于亚太地区环境情况的报告说,太多的重点放在理论认知方面,而有影响力的部分(价值观和观念)和实际技术方面得到的关注还太少。因此,对儿童的节水教育应尽量放在实际的、互动的和手把手的方法上。

国际自然保护联盟教育和交流委员会报告说[6],地区内环境教育的实施一般集中在小学和中学教育中,对学龄前教育和高等教育关注不够。强烈推荐在适合的机构内引导学龄前儿童对水的认识,如托儿所和幼儿园,并在高等教育中继续贯彻节水认识的课题。

在很多国家,把节水认识引入到学校的教育系统中有实际的困难。学校可能缺少经过适当培训的老师、学习材料和资金,过满的课程也可能会减少对水和环境的实地调查研究,节水认识教育中混合的社会和自然科学要求要有专业的教授技能。例如马来西亚有一个国家环境教育中心,但报告说该中心的学校教育计划受限于缺乏经环境培训的教职工人员、辅助员工和培训材料等。

各国提高节水认识策略的管理委员会必须在与教育官员协商后,确定最好的方法把这个理念引入学校的课程中。了解当地教育系统的问题对于采取学校节水认识教育的形式和方法都是很有用的。

2.供水单位和私营供水公司的教育支持

供水单位能通过学校系统在很大程度上帮助交流对水的认识。在某些国家,供水单位开始向学校的教育服务部门大量投资,而不只是简单地提供教学材料。框图3-8即选自英国某私营供水公司的教育计划,是供水单位应考虑的工作范围的一个范例。

框图 3-8 英国:供水部门与教育之间的联系

西北供水公司是英国最大的私营供水公司之一,为 700 万人服务,并因为其教育项目获得过社会事业奖。该公司与学校、地方政府和地方商家合作,就水循环和环境问题提供教育资源。

(1)6 个环境教育参观中心,为学校和大学提供免费服务,为中小学生提供全天的教学,同时也有针对高等教育和安排教师的项目。教育中心是在其他组织的合作下共同管理和投资的,每年有 1 万学生参观中心。

(2)辅助国家教育课程的教学材料,包括提供给老师和学生的材料,由老师和社团合作伙伴一同制作。

(3)"校园中的水"是一个针对老师和学生、互动形式的互联网站,结合在校园中的实际节水工作。

(4)处理水及废水的工厂向学校开放以供参观。

(5)流动式展览中心到学校中去。

(6)为盲人和有视力问题的人提供特别的教育材料。

(7)"游泳安全"小组与警察一起教授有关水安全的知识。

(8)公司教育协调人与学校建立联系,提供工业实习机会及从业建议。

(9)为 15~16 岁的年轻人提供在供水公司工作的机会。

(10)通过一个年轻人培训计划为 16~18 岁的年轻人提供 3~4 年的实习培训机会。

(11)学校老师在公司中工作 3 天,对水在国家教育课程中的重要性掌握第一手的经验。

资料来源:英国西北供水公司,2000 年。

供水部门私有化或为私有行业提供长期的运行特许,可以此把提高节水意识作为公司必须承担的社会和环境义务。英国的供水公司有个法定责任就是,提高用水效率并每年做行动报告,亚太地区的政府可能会认为这更适合于地方法规或服务合同中的条款。有些公司认识到在目前和未来的消费者中提高节水意识是一项重要的事业目标,因此自动举办了一些教育项目。根据对新加坡和东京的大型公共服务部门之间所做的比较,私营公司可能会花费2%~5%的运行预算用于各种节水意识活动,其中很大部分用于教育。

法国、英国和美国的私营供水公司在开发教育材料和项目上有丰富的经验。在法国,教育资源与非政府组织相结合,包括对老师的培训,使其也参与到流域管理中来。在英国,为学生制作了交互式光盘,向他们介绍世界各地的水和环境问题。一家在亚洲执业的私营供水公司提供了教育资源库,名为"对水的探索",面向菲律宾的老师和9~11岁的学生。

3. 水和环境课程开发

水是环境教育的重点。水和水文圈维持着环境的生命和形态。在与各年龄段孩子的交流中,水都是最有趣的也是最有用的一个话题:学生们了解他们在水循环中处于什么位置,以及他们如何来保护和保持这个珍贵的资源。

国际自然保护联盟报道说,大多数亚洲国家都尝试着把环境教育引入到中小学和高等教育中,但成效不尽相同。教学方法包括把环境学习作为一个独立的课程,或把环境教育放在中小学现有的课程中,或把两种方式结合起来一起用。初级教育是教育的重点,因为课程有灵活性,可以把环境放到现有的课程中去,而且在初级学校里参与程度较高。

成功地把水和环境教育引入学校需要以下关键前提:

(1)在环境教育上有明确并易于沟通的策略;

(2)执行策略的愿望和资源;

(3)来自外部水和环境组织的支持;

(4)课程表修改;

(5)教师备课和接受任内培训;

(6)提供本国语言的课程材料;

(7)教师资源及经验的交流机制;

(8)对教师的评估和奖励。

尼泊尔的中央教育系统中有一个国家课程开发中心,该中心在开发有关环境教育的新课程和利用编写教科书的经验来开发有关水的课程方面是一个非常有用的范例。从中学习到的重要经验有:

(1)对学生和老师来说,环境教育比其他课程更有趣;

(2)开发课程的系统化程序非常重要,来自多边组织的协助十分可贵;

(3)实地试验和后续教学最好由理科、社会学或地理学的教师承担,但所有教师都需要在此课题上接受初步培训;

(4)除了国家规定的教科书以外,还应补充地方上制定的教学材料,可适用于不同的社团和不同地理环境的地区;

(5)可根据地方实际情况来计划学生的参与活动,但须经过被授权的教师的认可;

(6)实地试验显示教师的作用如果经过正规管理和监测则更加有效。

框图 3-9 是在中国、印度和泰国进行的一个有关水的课程的调查。通过这些课程(有关个人卫生和用水、保护水及其来源、水的物理和化学特性、社会的用水以及环境中水的作用等)在各个年龄层次的教育实践,取得了很好的进展。

4.开发学校用的教学材料

开发教学材料最好作为提高节水意识政策下的一个项目来管

年龄段 (岁)	主 题 介 绍
4~7	中国:节水,水资源保护(4);水的特性,水的分布及功能,节水,水和水的力量(6);物体的浮沉(7)
	印度:个人卫生用水(6);个人用水,不清洁的水和疾病,保持水的清洁(7)
	泰国:云、雨、雾,水循环,清洁水和污染的水(6);资源保护,水和人类(7)
8~11	中国:水是液体,降雨,过滤和杀菌,水污染的主要因素及其解决办法,浮力的作用(8);蒸发与沸腾,凝结、冰及其融化,不同温度下水的形态,云、雾、露水、霜、雨和雪的形成,自然界中的水循环(10)
	印度:水的用处,水的来源,水的污染(8);水的形态,水的分解,水循环,不同形式的水,蒸发,凝固(9);清洁的河流,水的净化,水的保持(10);水的特性,水循环,硬水和软水,节水,水能(11)
	泰国:日常生活中物体的特性,自然现象中物体的变化(8)
12~15	中国:蒸发的利用,水能及其利用,水的物理特性,水污染及其防护(12);水的组成,水及其与人类的关系(13);降雨量及其分布(14);水资源的分布,缺水,有效利用水(15)
	印度:水污染(8);节水(10);水能(11);水携带的疾病,水的物理特性(12);灌溉,水是一种可更新能源(13);水资源,洪水问题(14);水利投资,灌溉水的来源,防洪(15)
	泰国:水的特性,杂质分离,保护水和使用水时的责任,水在工厂中的循环,自然水资源,大气,水能(13);自然资源的管理,泰国的地理、社会、文化背景,亚洲和世界的环境,人口与环境,自然平衡能力(14)

框图 3-9　中国、印度和泰国:教育课程中有关水的主题

16~18	印度:水是一种溶剂,水的特性(16);水的结构,水的物理化学性质,硬水和软水(17)
	泰国:环境保持,环境和生活质量,自然资源和经济(16);能源和环境(17)

资料来源:亚欧环境技术中心,亚欧会议(ASEM)成员,2000 年。
括号内数字为年龄。

理,因为需要认真的规划和各个合作伙伴之间的协调。可以参考其他国家的教学材料,但必须符合本地方的地理和文化情况,以及所针对儿童的年龄层次。

节水意识管理委员会应任命一个项目组来进行教学材料的管理、协调、编辑和制作。材料应由专业人员和教学专家一同来制作,并由绘图设计人员协助。提高节水意识活动的合作伙伴应审核制作的材料,并由另一组教师在课堂上试用。这个项目应通过下列步骤来执行。

(1)确定所需的成果。教学材料的形式应预先确定。可以是老师的教学手册或有关水的资料读物与各种年龄层次的主题、一个或一些学生的练习簿、独立的活动手册与实验工具相结合,并辅以适合地方情况的录像带、CD、幻灯片和磁带。我们从全世界各地收集了这种范例,框图3-10中即来自英国的范例。

(2)设计教师的教学手册。教师的教学手册或有关水的资料读物可围绕着水循环和水资源管理所针对的主要对象——地表水、地下水、湖泊、湿地、河口和海岸来设计,并可加入有关水化学、水处理、社团供水系统和废水收集与处理方面的内容,并把这些主题综合到一起,来说明节水的重要性。

(3)设计学生的活动材料。为了让学生感兴趣,并鼓励他们思考和积极参与,应认真设计学生所用的练习簿、活动单和实验工具。在很多国家里,老师的手册里有简单的文字和大量的图片说明,并结合问题和猜谜,结果证明非常有效。以水为主题、简单的

框图 3-10 英国:针对 5~11 岁儿童的教师用材料

诺森伯兰郡水公司是一家私营供水公司,他们制作了一套适合 5~11 岁儿童的教学材料,包括下列内容:

——教师的教科书,有关水循环的背景资料,在下面三个方面所建议的活动:

(1)社团中的水:水循环,大众是如何得到清洁的水的,废水是如何排出、处理的,水的特性;

(2)环境中的水:描述各种水环境,从溪流到大海,包括污染问题和保护环境的方法;

(3)Stagpool 挑战:一个为大一些的孩子制作的环保角色扮演游戏,让孩子积极参与到辩论和决策中来,为当地一个被污染了的、填满垃圾的池塘(Stagpool)出谋划策,并让当地的居民、农民、商人和自然保护人士参与。

——26 张可复印的练习卡,包括有关科学、地理、技术和英语语言中的作业。

——有关水的声音和故事的录音带。

——为录音带提供说明的照片。

——一套透明图,说明农村社区的发展,以及房子、大坝、社区供水和废水处理等。

——Stagpool 挑战——学生信息。

——有关水循环的互动式海报。

——介绍供水和卫生系统的拼图玩具。

这套教学材料是诺森伯兰郡水公司与老师、专业绘图设计师共同合作的结果,被教育出版社评为优质作品。部分赞助来自教育—商业合作伙伴,以及 4 个培训部门和企业。

这套教学材料免费向诺森伯兰郡水公司服务地区内的 1 200 个当地学校发送(大概有 22 万学生获得了材料),并以 95 英镑(约 75 美元)的价格向其他学校出售。

资料来源:英国诺森伯兰郡水公司,2000 年。

棋盘游戏和小测验也可吸引学生的注意力,各个班级之间共用的实验工具可以包括有问题的水龙头和其他用水设施,以此来告诉学生什么是不正确的用水行为,以及对水的浪费是怎么造成的。

教师的教学手册或有关水的资料读物应针对孩子们的各种活动来做具体设计,包括目标、背景信息和实际情况、学习的主题、能允许的时间、所需的材料、所需的预先准备、活动程序和后续的有效性评估。

经验说明,有关水意识和节水的教育不能与正常的学校教学分开来。在一般科学、语言、数学、地理和美术方面的课程上进行扩展,来设计一些活动,能帮助孩子们把他们在水和节水课上学到的东西与他们所受到的整体教育结合起来。

美国的马萨诸塞州水资源管理局为波士顿地区的大约 300 万人提供用水。管理局的学校教育计划由一个三人组成的小组来管理,为从小学到高中各个年级的学生提供教学材料。为老师提供课程规划指导,针对不同地方的、有关节水和经济的学习材料放映一些大众化的电视节目和喜剧人物,以便于年轻人接受,比如《少年忍者神龟》。

新加坡公共设施委员会也负责为超过 300 万的人口提供用水服务,他们为水教学课程制作了一些有趣的读物。《节水探测箱》小册子是为老师制作的教学辅助读物,向老师们介绍在新加坡进行节水的必要性,并为老师提供很多学生的练习簿供其复印和分发。一些学生的练习簿中有个连环画人物是其主角,名叫水船长,以超人为原型,专门查找浪费水的人们,并教育他们如何正确用水。这个人物在连环画书里也有,也出现在电脑游戏中,游戏名叫《水船长节水历险记》。

五、技巧和技能

宣传节水意识需要沟通和市场营销的技巧与技能,而这些技巧与技能需要在家庭中培养或作为专家服务购进。要改变公众的用水态度和行为,努力为大家创造一个可持续发展的环境。实现这种改变是一个漫长的过程,并且一些发达国家已经发现,逐步改变人们的用水态度需要几十年时间(如果不需要几代人时间的话)。

(一)社会营销

营销的一般定义是:由个人或组织实施的、不管是以赢利还是以非赢利为目的的、推动和鼓励交换从而达到双方满意的那些活动。

在商业营销中,交换意味着一方提供商品或服务以换取另一方的报酬。市场研究已经发展成为一种鉴别消费者及其对明码标价的商品和服务的接受度的工具。

在节水意识的营销中,交换是无形的——商品或服务是教育和劝说,而报酬是期望态度和行为的变化。通常被称为社会营销[7]。供水服务作为一项社会服务,由政府或政府代理机构提供服务,或者如果这项服务已经私有化,那么政府要对此进行管理,确保社会服务和个人利益的适当平衡。

包括市场研究在内的商业营销技巧已经运用在社会营销中,将市场与适当的交流工具结合起来。框图 3-11 是对节水意识社会营销的典型框架的总结。框图中营销要素都以同样的字母开头,这是商人常用的有助记忆的一种技巧。下面对这些要素作了进一步描述。

(1)人物:需要对用水者分类,以便他们接受最适合他们的社会群体的有关节水意识的信息。宣传节水意识的人需要有营销技巧和社会意识,还应该很热情。

(2)地点:针对家庭、办公室、工厂或农田的节水宣传各不相同,并且在宣传节水意识时必须选择适当的交流方法。

(3)产品:产品是水和节水意识。如果水作为基本产品得不到重视,例如每天供水只有几个小时或水质很差,那么很难宣传节水

框图 3-11	节水意识的社会营销框架
营销范围	交流工具
(1)人物——用水户	(1)口头表述
(2)地点——用水的地方	(2)宣传和公共关系
(3)产品——水和节水意识	(3)教育和信息
(4)促销——交流方法	(4)广告
(5)价格——有关节水意识宣传材料的价格和水的价格	(5)销售和促销活动
(6)有形表现——供水公司	(6)包装和介绍
(7)过程——社会营销	(7)赞助
	(8)展览
	(9)推销
	(10)公司标识和商标形象
	(11)包括互联网在内的媒体

资料来源:根据 1998 年 Smith 改编。

意识。应该设计并赠送宣传材料,以改善供水公司的商业形象。

(4)促销:选择适当的符合营销情况和听众心理的交流工具是促销活动成功的基础。

(5)价格:因为回收成本的管理费可能超过收入,所以节水意识的宣传材料通常是免费分发的,或象征性地收费。水价常常具有政治敏感性。完全回收水生产和输送成本很困难,只有当水被普遍认为是生活、健康和社会发展必不可少的经济商品时,才能完全回收水生产和输送成本。

(6)有形表现:供水公司高效、良好的运行,是获得用水户在高效用水方面合作的关键。

(7)过程:供水公司处理日程事务——接待来访者、回答电话咨询、复函、沿街排查故障——的方式也是提高其在用水户心目中的形象、提升公司职员的自我形象并激励士气的一个主要因素。

框图3-12总结了孟加拉国在卫生方面的社会营销的案例研究，对宣传节水意识具有借鉴作用，表明了儿童可以是有效的营销力量。

框图3-12　孟加拉国：卫生的社会营销

由联合国儿童基金会资助的孟加拉国卫生和安全用水国家宣传战略的目的是针对那些不具备卫生条件的人，特别是儿童，他们可以将这一信息带给他们的家庭。该战略将卫生教育引入孟加拉国学校的水与卫生教学大纲，在小学正在兴建供水与卫生设施，同时教育孩子们如何定期使用和维护这些设施。该战略具有特别的活动标志，将卫生和安全用水的好处与当地流行的卡通人物"查理叔叔"联系起来。

宣传战略要素包括一个媒体包，内含2分钟动画电视商业信息片、30秒常规电视插播广告和5秒休息，滚动播出以宣传行为变化为核心内容的信息，例如："你今天洗手了吗?"用来吸引儿童。广播节目依靠传统文化，例如地方歌曲。

调查表明孟加拉国家庭得到的有关健康方面的绝大多数信息均来自人与人的交流。已经为那些与家庭联系最密切的人员设计了交流包，这些人员如医疗保健工人、阿訇等宗教头目及孟加拉国广大的非政府组织工作人员。这项活动还利用传单、海报和微型公厕设施模型帮助地方公厕设施生产者培养营销能力。

将为处于孟加拉国政府最低层的教区间救济联合组织成员提供宣传材料，以便在农村提倡讲卫生。

该活动得益于联合国儿童基金会和其他机构的社会营销经验：

(1)运用外部采办的方法，这样由私有机构提供一整套的社会营销服务；

(2)确定印刷、征求建议和选择营销服务机构的标准操作程序；

---

(3)通过内部交流培训和向社会营销机构学习,管理和实施这些活动,从而加强能力建设;

(4)建立部门间联系,以便和其他与健康有关的活动合作,从而取得最大效果。

迄今为止的教训包括:

(1)关于政府官员、非政府组织和其他伙伴的作用和责任,要求最大透明度和责任感;

(2)责任明确会导致更多的社团参与和更强烈的主人翁感;

(3)社会动员试验表明,儿童有效地推动了父母建造和使用厕所;

(4)包括非政府组织在内的社会集中动员是实现目标的最有效方法,这样非政府组织参与宣传、培训、定向讨论会和农村宣传工作;

(5)私有卫生设施生产者在提高厕所的覆盖率方面发挥了主要作用,他们不仅卖产品,而且提供有关卫生的建议。

该活动的关键教训是开展部门间合作、儿童积极参与、非政府组织发挥有效作用、开发监控系统,这些都可以得到广泛应用。

资料来源:供水和卫生合作委员会和联合国教科文组织,2000年。

(二)交流工具

社会营销远比商业营销困难得多,并且更具挑战性。营销的成功与否将不仅取决于商人的营销技能,而且取决于在不同的营销环境里选择正确的交流工具。交流的方法和工具可根据框图3-11所列的标题粗略归类,在下列各段有详细阐述。

1.口头表述

无法替代节水意识营销员和他们的目标听众的直接的、面对面的交流,因此口头交流将在地方社团传递信息。例如,纽约市水务局用两年的时间实施了一个通用计量计划,水务局的工作人员每天晚上召开城市邻里会,解释该计划的好处,结果几乎所有的市民都接受了这种计量方法。

最初的方法是邀请目标听众代表(有时被称为重点团体的政治家或城镇和农村社团用水户)参与讨论会。目的是建立对话机制,这样可从一些基本问题的答案中得到教训,这些问题如:

在水和节水方面,人们已经了解了什么?

谁是主要的用水户?

谁是有关水和卫生的主要决策者?

人们通过何种主要媒体接受信息?

地方团体和协会如何发挥作用?

主要影响家庭行为的人是谁?

对整个社会而言,特别是较穷的人很少有电视机、收音机和报纸,语言交流是行之有效的方法。召开地方邻里会是建立用水户与供水公司工作人员直接联系的一种基本方法。社会营销会上的直接交流应该做到:

(1)组织良好,这样有许多人参加;

(2)利用地方习语和环境,这样人们会感觉这些问题与他们有关;

(3)多次重复,这样可保留相关信息;

(4)容易理解,这样人们不会感到困惑;

(5)具有参与性,因为交流观念是最有效的手段;

(6)具有争议性,这样这些会议令人难忘,并且以后还会被人谈及;

(7)举例说明,这样才能发现新做法和新产品的有效性。

2.宣传和公共关系

公共关系不仅包括新闻发布或新闻关系,还包括发展和维持与不同公众团体(如消费者、政府和非政府组织)的良好关系。政府部门和供水公司也许有自己的公共关系部,即使它们没有实际领导宣传节水意识活动,也应该紧密参与这些活动。

3. 教育和信息

教育是区分社会营销活动与商业营销的要素。正如本章前面讨论的那样，教育不仅针对儿童学生，而且向所有年龄层次的人延伸，为交流和营销水资源的可持续利用价值提供了极好的机会。向用水户提供有关供水服务和节水措施的教育信息比纯粹的劝告节水或有时在广告活动中有选择性地使用统计数字更容易被接受。框图 3-13 是日本的一个实例。

框图 3-13　日本：在东京发布的节水信息

东京都水道局的水费单和节水信息传单上总有同样的、容易记住的短语："请谨慎用水。"这些节水传单被放在显著的位置，如加油站和公共大楼。

水费单寄送频率。对用水大户，每月寄送水费单；对其他所有用水户，每两个月寄送一次水费单。

信息和消息提供。从东京都水道局的互联网网站和水道局月刊《水新闻》上可以获取节水信息。在火车和公共汽车上张贴节水海报。

业务手册和传单成本。学生用业务手册的批量生产成本约 0.75 美元/册。信息传单的成本为 0.15～0.60 美元/份。

效果如何? 节水信息的宣传已经减少了输水总量。

用水户信息反馈、询问和答复。

抱怨水的成本高；

震后的应急供水；

饮用自来水的水质；

询问有关定期公布的水质测试结果；

寻求有关节水措施方面的更多信息。

资料来源：日本东京都水道局,2000 年。

---

4. 广告

如果广告成为社会营销活动不可分割的一部分,那么这种广告是成功的。在选择广告媒介时必须谨慎,因为对一些目标听众来说,电视、广播和报纸等传统媒介形式还没有普及。广告咨询可能进行有效广告的策划和管理。

在节水意识广告和宣传战略方面,互联网发展迅速的国家应该具有专业设计的网站。例如,中国香港政府正在它的一个网站上播放电视式的广告,鼓励更好地维护大楼的给排水设施。除了被用做广告媒介外,互联网是有关全球节水知识和经验的大型资料库。一个国家级的水与节水网站能够为公众和与水有关的专业人士提供地方信息。附录2选列了有关互联网网站。

互联网发布信息和光盘发布信息与广告越来越兼容,这意味着来源于互联网的信息很容易在带有光盘驱动器而没有联结互联网的计算机上使用。

5. 销售和促销活动

如同商业营销一样,限时供给会起到宣传作用,能增强节水意识。例如,在缺水时期,供水公司可以免费赠送节水抽水马桶水箱的排水装置或补贴销售提高用水效率的设施。

6. 包装和介绍

包装是宣传产品的宝贵工具,可以让人立即认出有关标牌。宣传节水意识资料夹的设计要具有吸引力,甚至在打开之前就起到宣传主题的作用。节水设施的介绍传单、广告和包装可以采用固定的主题,例如东京的"请谨慎用水"和新加坡的"水上校",这些都一直提醒人们有关节水意识的总体信息。

7. 赞助

关心节水的合作伙伴组织的现金赞助或类似赞助将有助于发起更为广泛的宣传节水意识活动,作为回报可以展示赞助公司名称和标志。第二章更充分地讨论了这个问题。

8. 展览

包括节水技术在内的供水服务展览可以让更多的目标听众接

受节水意识的宣传。一些国家(如泰国)的供水公司举办流动水展,这样可以到省级学校和农村举办展览。

许多国际会议和相关贸易展览为地方供水公司提供了展示节水意识宣传活动的机会,也为与水相关的专业人员提供了与其他国家同行直接交流的机会。为了互惠互利,可以在宣传节水意识的活动上交流信息和经验,还可以建立互联网继续交流。

9.推销

节水意识的推销工具包括传单、不干胶标签、海报、新闻稿、显示屏和节水设施样品。这些宣传材料必须引人注意。例如,正在向学生销售的产品是参观水处理厂,如果学生发现工厂肮脏、设备保养差或不安全,那么就没有达到宣传节水和高效用水的目的。

10.公司标识和商标形象

如果在宣传节水意识的同时带有公司标识和商标形象,那么这种活动将更成功。无论是公共供水公司还是私人供水公司,都必须注意它们在政府、管理者、消费者和包括投资人与贷款机构在内的更为广泛的社团眼中的形象。

公司标识体现了一个组织的价值,并且供水公司应该在其组织内保持一贯的形象。徽标是树立商标形象最显著的方法,并且应该用于宣传节水的文章、教育材料、广告和展览以及公众眼里与公司日常业务有关的各方面,如建筑物、招牌、汽车、制服、信笺和水费单的标题。

(三)与媒体合作

节水意识宣传活动的管理委员会及其合作伙伴、项目组必须与媒体建立良好的关系。被媒体宣传为糟糕的活动将是失败的。大型政府部门和供水公司通常设有自己的公共关系部,这些部门一定要把宣传节水意识当成它们日常与媒体和公众打交道的一个额外主题来管理。为了提供必要的支持,它们将需要有关节水意识宣传计划的目的和详细组成部分等方面的完整信息。

政府部门和供水公司应该被视为有关节水意识宣传活动的正确、可靠信息的最初来源。公共关系部应该帮助节水意识宣传队选择最适合的发言人与媒体进行会谈。通常不是公共关系部的职员而是特定领域的专家、技术人员与媒体进行会谈,他们在供水和需水管理技术方面知识丰富,侃侃而谈,给人一种更权威的感觉。这样,需要适当培训技术人员的会谈技能,而从事公共关系的职员可以在其中发挥重要作用。当媒体采访节水意识宣传员时,这些人员应与他们的公共关系部合作,并从公共关系部获得指导。

在计划一项节水意识宣传活动时,公共关系部应能提供下列帮助:

(1)选定活动时间——从新闻角度挖掘媒体兴趣,并选择适当的活动时间;

(2)媒体方法——建议哪些特定的媒体记者和新闻编辑部对该活动感兴趣;

(3)新闻发布——设计一系列的新闻发布会,以维持活动的正常开展;

(4)拍照机会——在适当的场合安排拍照和电影摄制;

(5)出版物——用于宣传活动的出版物的设计、式样和内容;

(6)图片展览——有关节水图片的存档和检索,以便用于出版物、展览会和介绍。

1998年新加坡公共事业委员会实施了一次人为水危机演习:停止了对许多用水户的供水,让他们体验没有水的生活是多么的不便。这要求在本次演习的前期、中期和后期与媒体保持广泛的联系,演习要详细策划、谨慎管理。该演习结果非常成功,详情见框图3-14。

(四)能力建设

即使家庭无法完全实施一项节水意识计划的非技术措施,供水公司的管理人员也应该认识到其组织内部能力建设的机遇,尤

框图 3-14   新加坡:"停止供水"活动

1998 年开展了一次节水活动,旨在改变人们的用水行为,这样人们会自愿把节水当成一种生活方式。该活动的对象是所有部门,侧重开展公众和社区参与节水的各项活动。

一个由许多机构组成的指导委员会领导该活动,还有几个分委员会从事各种各样与活动相关的工作,包括宣传、活动开始仪式、谈话、访问、展览、竞赛及活动的重点——停止供水演习。

组织了许多活动,包括摄影艺术大赛、在选举区和教育机构开展的流动展览、讨论会、与学校和社区组织开展节水谈话、参观自来水厂等。用几种语言印制节水宣传活页,并直接送给在新加坡工作的 15.3 万外国工人,以培养他们良好的节水习惯。

该活动的重点是停止供水演习,号召大家在节水方面行动起来,强调水是一种宝贵的战略资源。对大约 3 万个用水户进行了停止供水几小时的演习,目的是为了让公众体验一下没有自来水的感受。

所有的地方报纸、电视频道和广播台对活动的有关信息进行了广泛的宣传。媒体采访了公共事业委员会的官员,宣传了这样的信息:"水是珍贵的,应该珍惜每一滴水。"节水邮寄广告被送至所有的住家和非住家建筑,宣传海报也发给了所有的学校、政府部门和用水大户。该活动的总费用约为 60 万美元。

随后聘请了独立顾问对该活动结果进行了调查,表明:

(1)促进了 93% 的被调查者节约用水;

(2)公众认为:在宣传节水意识方面,电视广告发挥了最大作用,其次是报纸文章;

(3)80% 的家庭用户认为停水演习很有用。

资料来源:新加坡公共事业委员会,2000 年。

其在交流和营销方面的技能培养。公共事业公司可以通过共享节水意识活动中伙伴组织的支持能力或购进专家技能和技术转让获

得这些技能。

在供水公司里,宣传节水意识的关键部门是那些负责公共关系、教育和信息提供的部门。技术人员要与公共关系人员建立良好的、和睦的关系,运用他们的技能改进对公众的技术信息普及并培养更好的直接与媒体打交道的技巧。

如果涉及宣传节水意识的政府合作机构已经设有教育和信息部门,那么这些部门可以开发中小学、大学和社区团体的专门教育材料,必要的话,可与教育部门的专家合作和/或聘请专家。节水意识计划为供水公司提供了理想的机遇,尤其利于培养教育和信息提供技能并为此成立有关部门(如果这些公司还没有这些部门)。

随着节水意识计划转向以行动为主的活动,将需要社会营销技能。为此,供水公司几乎都需要对外宣传的专门技术,因为亚太地区的国家还没有广泛认识到公共服务,如供水,需要营销。节水意识计划再次为供水公司提供了良好的机遇,在与来自其他政府机构或私有部门的外部专家合作时培养自身的社会营销技能。

应通过专业培训,丰富与外部专家合作时获得的经验。供水公司的人力资源开发部应该发现对上述非技术领域内技巧传授反应最好的职员,并送他们进一步接受与下列主题有关的专门培训:

(1)非技术性项目和计划管理;

(2)公共关系;

(3)与媒体打交道,包括会谈技巧;

(4)社会营销;

(5)介绍技巧;

(6)针对非专业读者的技术写作;

(7)管理公共会议。

这些技能对于转向管理的技术专家来讲也很重要,并且继续从事节水意识计划可以为雄心勃勃的职员拓展事业提供诱人的机遇。

(五)妇女在节水意识宣传中的作用

妇女,尤其当她们接受了适当的培训和支持以后,可以在节水意识宣传的规划和实施过程中发挥很大的作用。妇女组织可以通过建立与节水意识计划合作的框架并培训其成员发挥更加显著的作用来支持妇女参与节水意识宣传活动。此外,妇女参与带来间接效益:使家庭节约开支和社会进步成为可能,反过来有助于环境意识的更大提高。在农村,妇女常常支配家庭用水,一旦妇女积极参与并认识到适当水管理对改善卫生和公众健康的重要性,那么很可能使水资源保护项目更为成功。

在筹备和实施节水意识宣传活动时,建议采纳下列方针:

(1)包括政府和外部机构在内的节水意识管理伙伴应当对妇女参与节水意识活动和宣传活动专项基金作出明确的承诺;

(2)每个项目组至少有一位成员具有与妇女有关的供水和卫生方面的经验;

(3)在节水意识宣传活动的初期,应该明确妇女参与活动的适当组织,并使其积极参与活动的筹划过程;

(4)应该以适当的文化工具和技巧培训项目职员,以便妇女参与地方规划、决策和管理。应监控每项活动并评估其结果。

在节水意识宣传过程中,本国妇女组织可以发挥的作用包括:

(1)参与宣传、教育和提倡活动;

(2)研究和报告,包括参与资料收集、活动评估、准备最佳做法的案例研究;

(3)通过社区妇女团体的信息反馈,提供有关家庭节水活动效果的信息。

妇女组织还可以帮助吸收职业女性,鼓励更多的女性参与节水意识活动的管理。这些组织也可以协助联络活动地的妇女团体、选定参加有关培训课程的女性候选人并协助组织资金募捐活动。

(六)接触文盲群体

人与人之间的直接交流是改变文化程度不高的目标听众的用水态度和行为最有效的方法。对于尚没有阅读能力的孩子,有关节水意识的信息可以通过诸如画册、老师朗诵的押韵诗和诗歌、游戏活动和短剧来传递。对于不识字的成人,可以广泛运用图表向他们传递节水信息,也可以从实践活动中,如扮演角色、参与节水竞赛,获得节水信息。

已会阅读的孩子是不识字的父母获取有关节水意识信息的重要来源。

(七)实施

正如本章较早讨论的那样,通过社会营销改变对节水的态度和行为是有局限性的,除非伴有强制性标准和规定。必须实施有关法律以惩罚滥用水的事件,作为教育其他人贯彻他们已学到知识的例子。但是,在实施有关法律前,必须宣传这些法律,以便被所有受其约束的人充分理解。

在具有法律支持节水意识活动的国家,可实施的规定、行为准则和标准包括以下供需两方面的内容:

(1)供水公共事业公司准备节水和提高用水效率计划;

(2)为供水公共事业公司制定强制性非赢利供水目标;

(3)用水户连接点的最低水质标准;

(4)供水管道规范要求只能使用经核准的管道、附件和装置;

(5)水管工人上岗证书;

(6)强制安装节水装置;

(7)标明用水设施的节水效率;

(8)禁止销售未经核准的、低效用水的设施;

(9)在供水商宣布为干旱期时禁止使用软管。

必须向全国、全省和地方宣传诸如此类的法规,并且必须用简单的、非专业用语结合有插图的例子向所有用水户解释。在开展节水意识宣传活动时,应该向用水户散发信息传单,在供水公共事业公司的办公室要有完整的法律规定,供公众核查。也可以在国际互联网上公布这些法律规定。公众应该明白有关法律规定,在一段合理的宽限期后,如果自愿节水不够,那么公共事业公司可以按法律进行惩罚。

新加坡公共事业委员会在实施综合节水法律方面处于世界领先地位。该委员会测试和检验了所有饮用水供给的管道与附件,并向为私人房屋铺设管道的管道工人颁发了上岗证书。强制安置几种节水设施,包括超低容量的抽水马桶水箱(每次冲水量 3.5~4.5L)。自 1997 年以来,除了公厕外,所有房屋均已强制采用这种抽水马桶水箱。自 1983 年,所有的私人高层住宅公寓和外国房产均已强制采用恒定水流调节器和自闭水龙头。

自 1998 年,韩国法律要求所有新建办公楼安装高效抽水马桶,并于 2000 年该法律的适用范围扩大到节水龙头和淋浴龙头。对于没有强制安装节水设施的家庭和工业企业,政府将资助安装。这样,到 2004 年,70% 的所有现有住房和大楼将被改造安装节水设施。对于较大的建筑物,要求安装水回用系统,可用降低的水费和污水处理费抵消安装费。

引入强制规则和标准需要准备步骤,所有这些步骤的实施应该是节水意识宣传活动的组成部分。这些步骤包括:

(1)培训水服务部门的工人和管道工人;

(2)与水管附件和装置生产厂家及零售商联系,保证在开始实施有关法律时新型、高效用水产品的及时供应;

(3)与建筑审批部门和检查员就新的管道规范进行沟通;

(4)教育公众有关供水附件、装置和设施的流量标准。

六、活动总结

本部分对实施节水意识宣传计划所需的各项内容、行动和活动进行了讨论、总结(框图 3-15～框图 3-20)。它们提供了快捷、综合的工具核对清单,这些工具已经成功地应用在亚太地区和其他地方。

框图 3-15　节水意识活动核对清单——第一部分:管理	
国家水政策制定讨论会	公众顾问团
国家水展望和政策	独立水顾问
有关水的议会委员会	用水户协会
明确的机构责任	流域管理规划
公开咨询水问题	流域管理机构
综合水法	目标耗水量
水实践和管理规范	公布非赢利供水目标
标明水用具代码	公布水价政策

框图 3-16　节水意识活动核对清单——第二部分:宣传和社会营销	
公共关系和营销部门	电话调查和营销
节水活动	电话信息查询
公共服务通知	推销节水产品
招贴栏和海报	免费赠送节水装置
散发传单	带有节水口号的免费礼物
给用水者邮寄广告	研究态度和意识
免费邮寄邮件	签订节水承诺

框图 3-17　节水意识活动核对清单——第三部分:媒体覆盖	
新闻发布	电视广告和广播广告
报纸广告	电视新闻
报纸故事	电视纪录片
杂志文章	以水为主题的电视剧
广播新闻	以水为主题的电影
广播纪录特辑	国际互联网站
以水为主题的广播剧	

框图 3-18　节水意识活动核对清单——第四部分:教育和培训	
培训教员	免费散发光盘驱动器
教师指南	为学生开设手工课
学校课程设置与水有关的课	在学校办水展
大学课程设置水模型	学生实地考察
学校有关水的资料读物	培训在公共会议上演说
给学生分配工作	有关水的更高级课程
学生演示工具包	大学研究项目
儿童活动单	课程表外的培训课程
与水有关的棋盘游戏	与宗教领袖对话
与水有关的故事书和喜剧	与社团领袖对话
免费下载的网络游戏	公共事业公司职员指导用书
学校竞赛和奖励	对公共事业公司职员进行技术培训
来自供水公司的客座讲解员	管道工实际操作培训
学习录像带	与配件供应商对话
幻灯片	与器具供应商对话

框图 3-19　节水意识活动核对清单——第五部分:特殊活动	
世界水日	节水示范房屋
国家或地方水日	水主题公园和休闲中心
节水年	参观舞蹈团和戏剧团
地方节日上的水展	以水为主题的艺术展
流动展览和演示	年度节水效率奖
国际会议	年度防治污染奖
地区和全国会议	清洁河流奖
国家节水中心	环境保护奖

框图 3-20　节水意识活动核对清单——第六部分:消费者信息和服务	
水资源信息传单	免费故障报修热线
水服务信息传单	致电者和访问者帮助台
水价信息传单	免费水审计和渗漏维修
节水预测	建议自行审计
管道铺设良好	与用水大户群体对话
打折销售节水设施	建议最大限度地减少水浪费
有关节水用具的建议	建议工厂采用清洁生产技术
配件上的"已审核"标签	奖励节水措施

参考文献

[1] Demand Nabagement Strategy, Sydney Water. Australia, 1995

[2] Water Conservation Plan Guidelines. EPA, 1998

[3] Waterftront, UNICEF, 1999

[4] Motivating Better Hygiene Behaviour: Importance for Public health Mecha-

nisms of Change. C. van Wijk and Tineke Murre. UNICEF and IRC, 1993

[5] Waste Minimization Clubs. Environmental Technology Best Practice Programme. United Kingdom, 1998

[6] Planning Environmental Communication and Education: Lessons from Asia. IUCN Commission on Education and Communication, 1998

[7] Guidance Manual on Water Supply and Sanitation. Department for International Development, United Kingdom, 1998

[8] Marketing Communications: An Integrated Approach. P. R. Smith, Kogan Page, 1998

第四章　效果监控与评估

一、概述

本章分别介绍节水意识战略的第十三和第十四步——监控和评估。这两个步骤共同为评估节水意识宣传效果提供了基础,所以联合起来讨论它们。

在供水商和用水者中培养节水文化需要一个长期计划,并且需要许多年才能实现显著节水。为维持政治和财政支持,必须监控和评估节水计划的投入与产出,以显示其积极的趋向。计划的实施应该公开、透明、负责,定期检查其实施情况和为实现目标而花费的开支,并评估由态度和行为变化而产生的耗水量变化情况。

监控和评估应该是设计节水意识计划不可分割的一部分,并且必须提供一笔适当的预算。

二、监控和评估的理由

需要监控和评估两个相关方面:计划本身的供给和实现的结果。

监控供给是计划管理的直接部分。每个项目组都需要监控其计划活动的进度、供给目标以及项目管理委员会规定的预算。委员会本身应该整理项目组的进度报告,并根据实施计划监控总进度。对此类监控进行评估,将有助于后勤调整,如从较易实施的活动中抽出人力、财力和物力重新分配给较难实施的活动,以保证计划的实施。

监控和评估结果需要花费较大的精力,但极为重要。在很大程度上,结果取决于资源的供给,这正是监控两方面的结合点。一个供给好的计划将产生比供给差的计划更好的结果,如果在实施过程中进行结果监控,可以对计划作出更加实质性的调整,以便将资源调配给那些产生更好结果的计划组成部分。

正如第二部分所讨论的那样,结果将分阶段产生,与计划的进度相匹配:从忽视节水意识问题到改变行为。最初的结果将提高对这个问题的认识,接着对问题的解决感兴趣,这是无形的,但是可以通过社会经济调查进行评估。最终结果将是行为的改变:拥护节水、珍惜水资源,其中一部分将转变为显著减少用水量。

评估结果要求确定基准点,可以用来衡量节水意识计划引起的变化。这在下面的内容中进一步讨论。

三、供给监控和评估

根据节水意识计划的缓急程度,项目组应监控它们的活动,并每月或每季向管理委员会报告活动情况和是否达到了规定的目标。包括下列例子:

(1)新型教育包的数量和设计、生产及散发的信息传单数量;

(2)媒体的覆盖程度——有关新闻发布、广播、电视报道和纪录文献、访问节水意识国际互联网站的数量;

(3)举行公共论坛和讨论会的次数;

(4)举办展览的次数及参观人数;

(5)增加学校课程中水教育的时间;

(6)访问学校和大学的水与节水意识客座讲解员数量;

(7)参观水源地和水生产设施的学生数量;

(8)实行水审计的次数;

(9)用水户私人房屋安装节水设施的数量;

(10)公众咨询的次数。

计划管理委员会应该每年公布一份汇总的公共报告,可以比较实际进度和计划进度,决定是否需要调整活动间的资源分配,以提高进度。

四、结果监控和评估

(一)基线调查

计划结果评估所需的基线是开始实施计划前存在的状况。最初结果应该展示节水意识的提高和态度的转变,并且管理委员会必须证明在维持政治家的承诺和资金来源方面有了积极进展。所以,在任何节水意识活动开始前,必须确定公众对水、用水的态度和节水需要,这可以运用下列社会经济调查技术。

用水数量的变化可以与实施节水计划前供水和耗水数据进行对比计算。这对于大量供水和所有耗水均有精确计量并且记录保存完好的地方来讲相对简单,而对于没有水表计量或大多数水表计量不准的地方来讲就不太简单。对于后一种情况,供水公司应该对某个代表性的供水系统实地测量供水量和耗水量,并按比例分配到整个供水系统。应该注意的是,只有对所有供水系统安装精确的水表,才可能实现持续节水。评估通用水表的成本和好处不属于本指南的范围。

基线调查应该采用问卷形式,包括目前用水的全结构问题(要求具体回答)和针对水问题的认识与态度的半结构问题(引导最初回答,但是允许回答者在与采访人的对话中发挥)。针对不同类型的用水户,问卷有所不同,并且在提问时应该让回答者处于放松状态。绝大多数国家的规划部门都熟悉如何准备社会经济调查问卷,并且可以与市场研究伙伴一起帮助节水意识宣传队。下列方面为调查问卷涉及的主题。

1.社会经济状况和用水状况

回答者的个人资料——年龄、性别、接受教育程度;

房屋类型——房龄、大小、房间数、估计价值或应付租金;

对家庭而言——成员数、年龄、性别、接受教育程度、识字水平、挣钱人数、家庭总收入；

接触媒体——电视、广播、报纸和杂志，还有计算机；

管道供水的情况、是否有水表计量、对水价和固定收费的了解、月平均水费、供水压力和水质、供水故障频率；

厕所(固定冲水的、拉式冲水的、坑式的)、浴室、厨房龙头和其他内外部龙头的数量；

每处用水的估算比例(对非家庭用户非常重要)；

从其他水源获取水的数量、成本和使用情况；

房屋用水器具。

2.节水意识

对政府水政策的了解情况；

对水资源短缺的认识和对高效用水的态度；

对目前水价的接受情况和对水的真实成本的了解情况；

为了获得更好服务而支付更多的意愿；

对供水公共事业公司效率的感觉。

根据回答者对节水措施的了解情况，有针对性地进一步提出问题。这些节水措施如低冲水量抽水马桶、低流量淋浴喷头、龙头套管、水审计、节水水价和水循环。

应该对家庭、工业、商业和机构房屋随机抽查，以获取该地区有代表性的人口抽样调查。根据给定地区的总人口数量，抽样比例有所变化，但通常在2%～5%。人口越少的地区，抽样比例越高。

调查实施方法包括邮件、电话和个人采访。不建议采用邮件方式调查基线，因为不可能通过半结构问题获得广泛的回答者。另外，经验表明邮件调查的反馈率低。如果电话相当普及，可以提供代表性随机抽样调查，则电话调查可以是一种有效的手段，虽然有时难以让回答者在答题时段内保持专心。进行基线调查最可靠的方法是个人采访，集中了采访者和回答者的注意力。

(二)跟踪调查

确定了基准条件和观念后,必须对接受节水意识信息的人群进行跟踪调查,以便在计划实施过程中评估这些活动的有效性。必须修改问卷,侧重鉴别节水意识宣传活动开展后人们的态度和行为的改变。典型的问题包括以下几个:

(1)现在是否更好地理解节水要求?

(2)你认为个人努力会产生影响吗?

(3)如何接受节水信息,并且哪种方法给你的印象最深?

(4)如何传播节水信息? 如何改进节水信息的传播方法?

(5)你是否刻意努力节水? 采用何种节水方法?

必须每年进行跟踪调查,节水活动开始半年后就可以作第一次跟踪调查。比较相继调查的结果,可以证明节水计划和专项活动的成功与否,并且反馈信息有助于计划调整,更侧重那些已取得较大成功的活动。应该在目标观众中随机抽样调查,以代表所有类型的用户和接受更多关于水与节水教育的儿童和学生。可以混合运用面对面的采访和电话采访。

框图 4-1 和框图 4-2 分别说明了日本和新加坡的跟踪调查情况。

框图 4-1   日本:节水意识调查

在日本进行了两次节水意识调查,相隔 12 年,表明了公众教育需要长期的时间。在东京进行了第三次调查,这次调查表明:自 1996 年发生水短缺后,对以节水为目标的活动有了更好的响应。

节水目标	回答比例		
	日本 1986 年	日本 1998 年	仅东京 1999 年
一直节水	10	13	48
有时节水	42	57	43
偶尔节水	9	10	6

知道要节水,但没有这样做	27	17	3
从来不节水	12	3	0

资料来源:东京都水道局,2000 年。

框图 4-2　新加坡:节水意识调查

新加坡政府现行的节水公共教育和宣传计划包括 1995 年、1996 年和 1998 年广泛开展的节水活动。1995 年和 1996 年活动的目标是树立需要节水的普遍意识。1996 年进行了跟踪调查,检验当年活动的有效性。

1996 年调查结果:

(1)94%的回答者认为在未来他们将为国家节约供水发挥重要作用;

(2)91%的回答者意识到需要节水;

(3)83%的回答者同意谨慎用水的责任在自己;

(4)82%的回答者发现迫切需要节水;

(5)75%的回答者说政府在教育公民如何明智地用水方面已经做得很多;

(6)43%的回答者刻意努力在日常活动中节水。

根据 1996 年的调查结果,政府决定将目标由树立节水意识转变为实行用水行为的变化。1998 年开展了改变用水行为的活动,并于 1999 年进行了跟踪调查。调查结果表明,该活动在进一步提高节水方面已经取得了成功。

1999 年调查结果:

(1)93%的回答者说他们已经被鼓励改变用水行为;

(2)84%的回答者在努力节水。

这两次调查均由顾问采用面对面的采访形式,1996 年抽样采访了431 人,1999 年抽样采访了 1 026 人。抽样选择代表了年龄在 15 岁以上的人口分布和主要特征,如性别、种族、年龄、房屋类型和工作状况。

资料来源:新加坡公共事业委员会,2000 年。

跟踪调查经常发现节水的良好实例。应对这些最佳做法进行详细调查和评估,并出版成书让公众购买。节水意识管理委员会可以考虑给最佳做法颁奖,因为这样鼓励其他人去效仿节水。

在英国,发表了 3 篇关于节水最佳做法的报告[1~3]。作为用水效率奖的评估程序,对每个案例单独评估,并且已为通讯、工业、商业、公共部门、联合启动和合作项目、研究和开发、私人供水公司编辑了案例研究。出版的案例研究必须清楚地、定量地表明节水的数量和涉及的成本,为形成以目标和评估为基础的文化做出了重要贡献,而这种文化有助于节水。

(三)供水公共事业公司的业绩指标

不能忽视节水所涉及的供水方。正如第三部分所讨论的那样,必须提高供水公共事业公司的供水效率,并对它们的业绩进行监控、评估。最普通、最有效的方法是采用一系列的业绩指标——产量、业绩或服务的定量措施,并逐年监控其变化。业绩指标取决于计量数量的精确定义,可以包括这些内容:

(1)非赢利供水量;

(2)水生产量、消耗量和服务连接的数量;

(3)水质;

(4)消费者满意程度、抱怨次数及解决这些问题所需的时间;

(5)管道破裂和渗漏的次数及维修时间;

(6)任何时候水表故障的平均比例;

(7)供水员工数与消费者数的比率;

(8)单位运行成本;

(9)财务指标:如债务/服务比率、应收账款与投资比率。

国际水协会出版了最佳实践手册,规定了广泛的业绩指标范围[4],可以借助免费软件通过国际互联网获得(见附录 2)。对每项选定指标的年度变化都作了图表比较,以标明一个公共事业公司是否在其业绩方面有所提高。

国际水协会推荐了计算水平衡的格式和术语,用于计算非赢利供水量,如框图 4-3 所示。注意:这个方法也可以用于计算用水者合理耗水的削减量。

框图 4-3　业绩指标:计算非赢利供水的供水平衡

（必须按同一单位测量所有项目,建议用 $m^3/$年）

系统输入量	核定耗水量	收费的核定耗水量	按水表计、收费的耗水量(包括出口水量)	赢利性供水
			不按水表计、收费的耗水量	
		未收费的核定耗水量	按水表计、未收费的耗水量	非赢利性供水
			不按水表计、未收费的耗水量	
	水损失	明显水损失	未核定的耗水量	
			计量不准确	
		真正水损失	未净化水干线和水处理厂的真正损失(如果适用的话)	
			输水和/或分水干线的渗漏	
			输水和/或分水储水箱的渗漏与漫溢	
			从连接点到计量点的渗漏	

资料来源:供水和卫生业绩指标,国际水协会,2000 年。

(四)监控和评估耗水量的减少

宣传节水意识的最终目的是把增强的节水意识和行为变化转变为用水量的减少,这种减少是通过供水和需水两方面节约用水而实现的。供水量的减少可以通过监控供水公共事业公司的业绩指标(如前一部分内容的讨论),尤其是非赢利供水量的减少来量化。需水量的减少可以通过监控水表的耗水读数来测量,虽然通过耗水量的正常变化来计算整个供水系统会比较复杂。新增供水连接点、现有工厂产量的提高、住宅装修时安装抽水马桶和用水器具(即使是高效型的)以及由于气候变化导致的季节性用水量的增加,都会掩盖节水意识计划所导致的耗水量减少。随着时间的推移,可以发现这种节水趋势,但是不可能精确计算耗水量的减少。

一种改进的方法是对节水意识活动的目标房屋抽样,单独监控它的耗水量,允许增加合理的耗水量。例如,抽样对 1 000 幢房屋进行单独监控,每周统计水表读数,以获得日耗水量曲线。然后,把这些数据与整个系统耗水量的减少趋势相比较获得一个较为清晰的画面。

(五)管理机构的监控

在那些供水全部和部分私有化的国家,通常由政府指定一个管理人员,他的责任包括监控私有供水公司从事如节水意识宣传活动等辅助性活动的情况。例如,在英格兰和威尔士,私有化供水公司具有提倡高效用水的强制性责任,用水服务办公室(OFWAT)的管理人员监督这些公司的活动,并且每年向政府和公众报告。

用水服务办公室寻找供水公司用于提高用水效率的活动开支的合理证据。通过定量统计进行报告,如供水量、输水损失量、渗漏量、家庭和非家庭耗水量,这些数据每年由供水公司提供给用水服务办公室,并接受独立审计。在报告中,用水服务办公室比较每个公司的业绩和它的业务计划,由此为这些公司确定新目标,作为高效管理私有供水服务公司的发展计划的一部分。

用水服务办公室关于渗漏和供水效率的年度报告[5]叙述了供水公司有效供水战略的所有要素,包括渗漏、供水管道维修、计量、水价、公共教育和提供给消费者的信息。这样,政府和公众充分了解每个供水公司开展的节水活动。每年的活动核对清单(见第三章的框图 3-5)也起到了在供水公司之间交换信息的作用,促使它们采用已发现有效供水的新方法。

用水服务办公室也对下列内容进行监控、评估和报告:

(1)估算渗漏量(在英格兰和威尔士还没有完全计量供水量);

(2)与国际渗漏水平的比较;

(3)制定渗漏目标;

(4)供水公司维修和更换供水管道的政策;

(5)节水意识宣传活动;

(6)在提倡有效用水方面良好实践的例子。

自1989年供水服务私有化以来,已经定期收集和公布有关数据,并且表明由于广泛采取节水措施,特别是减少渗漏,目前总供水量正在下降。

参考文献

[1] Saving Water:On the Right Track,Environment Agency. The United Kingdon,1998

[2] Saving Water: On the Right Track 2, Environment Agency. The United Kingdom,1999

[3] Water Efficiency Awards 2000,Water UK and Environment Agency. The United Kingdom

[4] Performance Indicators for Water Supply and Sanitation:Manual of Best Practice. International Water Association,2000

[5] Report on Leakage and Water Efficiency 1998~1999,OFWAT. The United Kingdom,1999

第五章　结论及建议

一、结论

(一)水管理面临的挑战

亚太地区的政府在水资源和供水管理方面面临着巨大的挑战。

为了通过强有力的节约用水政策实现可持续水安全的目标，需要推行综合水资源管理。

(1)亚太地区许多国家的人口增长和农村人口向城市转移已经超过其供水能力。

(2)尽管本手册重点强调节约用水，但由于灌溉是用水大户，所以农业部门也需进行同样的努力。

(3)本手册主要针对 3 个群体，即必须理解节水的必要性，以便在向所有用水户宣传节水意识中发挥重要作用的政治家和政策制定者、水管理人员和水利专家、有关教育的专家和社会市场专家。

(4)进行节水意识教育的主要优点是它能改善作为经济和社会发展重要组成部分的用水服务。

(二)制定节水意识战略

在制定增强节水意识的战略中需要构造一种方法。现在得出的主要结论为：

(1)在战略制定中最好在拥有清晰的目标和权限的多学科管理委员会的领导下选用一两种方法；

(2)与水问题有关的咨询专家的参与将促进战略的制定；

(3)当地政策问题将影响节水意识信息传播的方式;

(4)与水有关的强有力的法规大大促进节水意识的增强;

(5)建立各级部门间的战略合作将增加其责任,并帮助增强节水意识;

(6)吸引国内与国际公共和私有部门的赞助商将增加可信度,并使增强节水意识的目标更加容易实现;

(7)在农村和郊区,节水意识的增强将有助于提高卫生和环保意识;

(8)需要循序渐进地传递一些主要信息,实现从对水漠不关心到节水意识增强、产生兴趣、渴望改变以及采取行动的转变;

(9)在一定范围内,通常为政府部门、社会市场、媒体传播、教育、公共集会和信息散发中使用合乎逻辑的规划框架;

(10)与预定的有准备的目标不同,有必要采用监测活动,在增强节水意识和改变行为过程中一种有效的战略将会脱颖而出;

(11)通常需要5年的时间使节水意识提高到一个很好的水平,并实施全套战略;

(12)在长期战略的实施过程中,特别是在干旱季节,短期的运动(通常为3～6个月)在转变用水行为中非常有效;

(13)制定预算必须在进行效益—费用分析的基础上进行,经验表明,增强节水意识项目的年费用一般占水利公共事业预算的百分之几;

(14)节水意识必须由能自主开展活动,但对管理委员会负责的项目小组承担。

(三)实施节水意识项目

由政府、水利公共事业和当地社区发起,并由非政府组织协助的机构负责节水意识项目的实施。所以,从下到上的实施将比从上到下的实施更为有效,同时需要公众的广泛参与。教育和信息传播是活动的主要内容,同时需要有良好的教育和社会市场技术。

得出的主要结论有以下几个方面。

1. 组织主动

(1)政府主动包括积极促进国内节水战略的制定和实施,加强现有水法或引进新的水法以支持自愿进行节水,以及保证其部门和机构采用节水措施;

(2)水利公共事业在期望他们的需水方采取节水措施之前,必须有效管理供水方的活动;

(3)水利部门采取的主动行为包括社会市场、教育和媒体活动、会议、展览、文化活动以及向消费者传播信息;

(4)社区采取的主动行为应该通过发现当地存在的问题以及寻找最适合当地状况的活动来选用一种基本方法。

2. 社区参与

社区参与通过将节水列为当地的远景规划以及鼓励社区参加节水项目来体现其价值。

3. 教育和信息项目

(1)教育和信息运动是成功的节水项目的核心,所以应以水利专家、用水户、孩子和学生为教育对象;

(2)在用水户中,耗水量很大的工业和商业部门为主要教育对象;

(3)由于灌溉通常是水资源的最大需求者,所以在本手册范围之外,也应该对农业用水户进行节水意识的教育;

(4)学校里的节水意识教育是现在的家长转变将来节水态度的关键;

(5)水利部门可通过提供课堂材料、邀请贵宾在课上发言、组织参观水利工程、向老师和学生传授培训与工作经验等对孩子和学生进行教育;

(6)教育孩子的材料需要由专家仔细设计,以激发孩子们的兴趣,并产生共鸣。

4.技术和技艺

(1)增强节水意识需要具备良好的社会市场技术和几个交流工具；

(2)交流工具包括：语言、公共关系、媒体广告、展览、散发视听信息、向群众散发有一定主题的传单以及建立一个公认的合作身份；

(3)由于妇女在家庭教育中起着非常重要的作用，所以节水意识项目的参加人员应承诺在项目实施的各个阶段鼓励妇女的参与；

(4)需要特别的技术对知识匮乏的群体进行教育，通常包括人与人之间的交流；

(5)与节水有关的法规以及强制执行的标准和规范必须在群众中进行调查，以便在这些法规、标准和规范实施之前对他们就有所了解。

二、监测和评价效果

对节水意识项目进行监测并对其产生的结果进行评价对完善和改进项目、活动以及评价节水量都是非常必要的。

(1)在制定阶段就应将监测和评价的规划与预算列入节水意识战略当中；

(2)在项目验收时应对照预算表仔细进行审查，以便对后勤资源的分配进行调整，使项目实施的所有内容都保持在正确的轨道上；

(3)对项目结果进行监测，以便对项目进行必要的调整，使项目取得圆满成功；

(4)对有关数量和质量的结果进行评价，通过基层社会经济调查和历史耗水数据进行项目实施前的对比分析；

(5)以后每年都要进行一次后续调查，以了解项目进展情况；

(6)对水利部门的运行指数进行追踪调查以监测供水方的节水情况；

(7)需水量的合理增长和季节变化可能会掩盖由于节水意识项目的实施而造成用水量的整体下降，但需要对实例进行分析以给出相当准确的结果。

三、建议

主要建议如下：

(1)通常饮用水和管道供水系统水量的50%，或者在到达用水户之前损失掉了，或者在使用中没有得到有效的利用，在水资源日趋紧张的时代，政府和供水部门有必要采用并向所有的供水部门和用水户推行强有力的节水教育；

(2)节水需要以水资源的有效管理为前提，在水资源可持续管理和配置中需要采用一种综合的方法；

(3)政府及其下属的负责管理水资源和供水的机构，水利部门以及可能存在的供水公司，应该在增强节水意识中起到带头作用；

(4)熟悉社会市场调查、教育和信息的专家在增强节水意识中是必不可少的，在设计和实施节水意识项目的活动中应将他们纳入水利专家的队伍；

(5)节水意识项目的监测和评价应纳入综合战略中，并提供必要的预算；

(6)供水方一定不要忘记节水，同时使用运行指数监测水利服务部门的服务质量；

(7)本手册为准备、实施、监测和评价节水意识增强项目或检查正在实施的项目的内容和方法提供了一个框架。

附录1　水方面的常识

一、水的价值

水是世界上我们最熟悉的物质之一：

作为一种液体，它填充在湖泊、河流和水库的地表面，并占据着周围的海洋；

作为一种气体，在大气中它以水蒸气的形式出现；

作为一种固体，它覆盖在地球的两极以及高山上，形成冬天的一大风景；

同样也有大量的水储藏在地下的土壤以及我们所知的含水层中；

水存在于植物以及我们的身体中，人体的大约70%是由水组成的。

在水文循环中，太阳将水不断地蒸发进大气。其中一部分水以雨和雪的形式回到陆地上。降水的一部分又很快蒸发回大气，一部分排入湖泊和河流最后流入海洋，一部分渗入土壤形成土壤水和地下水。一般情况下，地下水又逐渐转变成地表水，构成河流的主要水源。植物将部分土壤水和地下水吸入其组织中，并在蒸腾过程中将一部分释放回大气。

淡水的产生机理主要是太阳在起作用。淡水的运动称为水文循环，它控制着地球上大部分的水。有些运动非常快，一滴水停留在河里的平均时间为16天，停留在大气里的时间大约为8天。但是，一滴水停留在冰川的平均时间为几百年，水缓慢流过深层含水层需要几万年。水滴挟带沉淀物质不断循环。

世界上大部分水对人类没有多少利用潜力，因为地球上

97.5%的水为咸水,只有 2.5% 为淡水,且大部分位于南极洲和格陵兰岛的深处与冰山上。只有相当少的淡水存在于河流和湖泊以及土壤和浅层地下水中可以开发利用。由于水文循环中地点和时间的变化,这些水资源相当不稳定。但是,它们具有开发潜力,并且是人类的珍贵资源。

二、是否有充足的水

人们已经对世界上所有河流的年平均流量进行了大量的评估。这些流量从 350 000 亿 m^3/年到 500 000 亿 m^3/年变化不等,一般不到淡水水资源总量的 1%,并且这些数据在不同年份和不同地区变化很大。一个河流 80% 以上的流量发生在由融雪或暴雨引发的洪水,而后 6 个月的流量相当低。

另外一个问题是许多大的河流和最重要的含水层都远离主要市区。由于输水的费用很高,这些资源不能得到开发满足用水需要。此外,很多市区将部分处理和没有处理的污水排放到周围的地表水和地下水。工业和矿山废水的排放以及农业中残留的化肥和农药的淋洗增加了污染量。结果是只有 1/3,即大约 125 000 亿 m^3/年的水资源能被人类开发利用,并且这个比例正随着污染程度的加剧而不断降低。这就是地球上可用的淡水资源。

与水资源的日益减少相比,全球的需水量却在不断增加。据估计,2000 年的需水量已经比 1900 年增加了 6~7 倍,是人口增长速度的 2 倍以上。由于世界人口的稳定增长,这一速度在将来似乎还要增加。目前估计全球需水量为 40 000 亿 m^3/年,其中农业大概消耗 80%,主要用于灌溉。但是工业用于产能以及其他目的的用水量和生活用水量在不断增加。有关需水量的数据相当匮乏,有时也没有水资源的数据可靠,这主要是因为很多国家缺少测量设施。

为了满足需水的要求,自从有历史以来人类已经通过打井,修建水库、水渠、供水系统、排水系统、灌区和类似的设施改变了水文循环。政府和公共部门花费大量的资金开发和维护这些设施。

需水量的日益增加在世界上的许多国家引发了水资源问题。由于从河流中开采了大量的水，所以这些河流下游的流量减小，湖泊日益干涸。在枯水季节，许多河流里流得都是废水。由于过度开采，一些含水层的地下水位已经下降了几十米，这使得以后的开采更加困难，并且需要花费更多的资金。

三、家庭用水

家庭用水的构成随着气候和社会经济发展水平的不同而不同。在新加坡，洗澡用水在家庭用水中所占比例最大（附表 1-1），而在英国，冲厕用水所占比例最大（附表 1-2）。在许多国家，冲厕被认为是家庭和办公室的主要用水对象。由于水资源越来越少，一般通过地方立法不断减少冲厕用水量。

附表 1-1　　　　　　　　　新加坡家庭用水

构　　成	百分比（%）
洗　澡	45
冲　厕	18
洗衣机和洗衣房	14
厨房水池及其他	23
户外用水	
总　　计	100

资料来源：新加坡公共事业局。

附表 1-2　　　　　　　　英国家庭用水

构　成	百分比(%)
洗　澡	17
冲　厕	33
洗衣机	21
厨房水池	16
洗碗机	1
洗手池	9
户外用水——花园和洗车	3
总　计	100

资料来源：ESCAP。

四、废水

不幸的是，为人类活动开采的大部分地表水和地下水都被浪费掉或没有得到有效利用。更糟糕的是，世界上20％的灌溉土地由于渗漏造成涝渍和盐碱化，作物产量大大降低。不良水土管理的另一个后果是雨养土地的侵蚀。侵蚀造成产量降低，并且由于将大量的泥沙带入河流而造成水质退化，从而降低了水库的蓄水能力。许多工业生产中的用水效率不高，并且没有采取措施，如水的循环利用进行节水。

水的损失同样也发生在公用供水系统，特别是水利设施陈旧，没有得到很好维护的地方。50％的水被渗漏掉在一些发展中国家是常有的事，也有由于部门间关系没有理顺而造成了水的损失。

五、缺水压力

缺水发生在供水量不能满足需水量的情况下。由于经济发展水平不同，全球每个国家的水资源开发水平和用水情况差别很大。国民生产总值(GNP)是被广泛采用衡量一个国家经济状况的指标。衡量一个国家水资源开发水平以及一个国家所面临的压力的类似指标就是用水量占可利用水资源总量的百分比。

如果从 4 个等级,即从用水量占可利用水资源总量的不足10%到高于 40%来衡量水资源开发程度,很显然,一个国家的上述指标超过 40%,那么他所面临的水资源短缺的压力就相当大(附框图 1-1,附框图 1-2)。

附框图 1-1 缺水指标

缺水通常用一个国家每年的用水量与可开发利用的水资源总量的百分比来表示。

目前定义了 4 个缺水程度:

(1)轻度缺水:通常用水量不足可开发利用的水资源总量的10%,并且没有经历过水资源短缺压力的国家;

(2)中等缺水:用水量占可开发利用水资源总量的 10%~20%,水已经成为制约发展的因素之一的国家,所以需要采取措施减少需水量,并增加供水方面的投资;

(3)中等到严重缺水:用水量占可开发利用水资源总量的 20%~40%,需要进行认真管理以保证用水的可持续性的国家,人类不同活动的用水竞争必须加以解决,并且注意保证河流里有足够的水量来保护水生生态系统;

(4)严重缺水:用水量占可开发利用水资源总量的 40%以上,通常用水量比天然补给量大得多。必须开发可以代替的资源,如脱盐,同时将注意力放在水资源的精细管理以及由其确定的需水量上。目前的利用方式很可能不是可持续的,缺水已经成为经济发展的制约因素之一。

我们需要多少水?

你能计算出每个家庭一天和一周用了多少水吗?

会用水的家庭
(家里有 4 口人)

1.家里每个人每天都进行淋浴,
　他们用多少水:
　1)每天?
　2)每周?

2.每人每天刷牙两次,每次用 1L
　水,他们用多少水:
　1)每天?
　2)每周?

3.将穿脏的衣服放在洗衣机里,
　一周洗 3 次
　1)每个洗衣日?
　2)每周?

4.每天将水壶填满 5 次浇花,
　他们用多少水:
　1)每天?
　2)每周?

5.节水家庭总计用多少水:
　1)每个洗衣日?
　2)每周?

浪费水的家庭
(家里有 4 口人)

1.家里每个人每天都进行盆浴,
　他们用多少水:
　1)每天?
　2)每周?

2.每人每次刷牙 3 分钟,期间不
　关水龙头,他们用多少水:
　1)每天?
　2)每周?

3.将穿脏的衣服放在洗衣机里,
　每天都洗,
　1)每个洗衣日?
　2)每周?

4.每天用软管花 15 分钟浇花
　他们用多少水:
　1)每天?
　2)每周?

5.浪费水的家庭总计用多少水:
　1)每个洗衣日?
　2)每周?

小常识

5 分钟淋浴 = 30L 水　　　　水壶 = 4L 水

1 次盆浴 = 90L 水　　　　　洗衣机 = 95L 水

软管 = 每小时 500L 水　　　自来水 = 每分钟 10L 水

附录 2 有关加强节水的国际互联网站

亚太环境杂志论坛

www.oneworld.org/sleif/ 亚太地区环境杂志的一个网站，它对大量的绿色问题感兴趣，包括水污染以及自然资源的有效管理。

AQUASTAT

www.fao.org/waicent/faoinfo/agricult/agl/aglw/aquastat/Aquastat.htm 本网站由粮农组织的水土资源开发处开办。它是农业和农村发展中有关水的信息系统，提供了有关水资源开发的地区分析及国家介绍，以灌溉和排水为重点。

印度科学和环境中心

www.oneworld.org/cse 本网站提供了有关集雨和水污染防治的详细资料。

水和环境管理的特许机构

www.ciwem.org.uk 此英国机构网站有政策形势分析以及有关水话题的详细资料，包括用水效率和减少渗漏。

加拿大温尼伯湖市

www.mbnet.mb.ca 提供有关节水建议的网站。

水土保持所

www.dlwc.nsw.gov.au 这是澳大利亚新南威尔士州政府部门的网站，可以下载其节水战略，重点是农田用水效率。

福冈市

www.city.fukuoka.jp 用英文介绍日本福冈的节水技巧的网站。

中国香港政府

www.info.gov.hk 作为能源效率活动的部分内容,本网站包括详细的电视公告,以加强对需水管理的支持,对修复有缺陷的供水系统进行了详细的介绍。

国际开发研究中心

www.idrc.ca 本网站提供了包括用水和需水情况及图形的几篇文章。它同时对需水管理进行现场公布,并与其他与水管理信息有关的网站链接。

国际水管理学院

www.cgiar.org/iwmi/ 本科学组织网站的重点是农业用水以及世界范围内发展中国家的需水。本网站提供了有关高效灌水的资料,从事农业节水的国家对此都感兴趣。

国际自然保护协会

www.iucn.org 本协会倡导保护生物多样性,促进水资源的可持续利用。

国际水协会

www.iwahq.org.uk 该协会是水利专家的主要协会,在亚太地区有许多会员。

聪明的生活

www.getwise.org 这是美国的一个非赢利的组织,为教师和学生提供家庭用水与能源保护的信息。

澳大利亚默里流域管理局

www.mdbc.org.au 本网站从澳大利亚几个大流域管理的经验出发,为从事综合水资源管理的人员提供了有关可持续和综合流域管理的资料。

英国国家需水管理中心

www.environment-agency.gov.uk/savewater 本中心隶属英国环保局,网站上公布了用水效率报告、研究结果以及定期需水管理公报。此网站与其他需水管理网站链接。

尼泊尔网站

www.nepalnet.org.np　本网站为水利、科学、能源和环境部门提供了节水资料和研究的详细内容,并对影响水管理和用水的问题开展培训。

新加坡 NTU 图书馆

www.ntu.edu.sg/Library　本网站为图书查询和订购网站,包括节水材料。

新加坡公共事业委员会

www.pub.gov.sg　这是新加坡水利公共事业的网站,包括节水技巧、水管工人的详细课程以及家庭用水审计表。

泰晤士国际水管理协会

www.thames-water.com　该协会是国际用水服务组织,主要支持学校有关节水的教育。

水页

www.africanwater.org　公布非洲水页的获奖人员,并致力于促进可持续水资源管理和利用的网站。

美国环境保护局

www.epa.gov

美国水资源研究实验室

www.usbr.gov/wrrl　本实验室主要从事节水方面的研究,并将其资料公布在网站上。

供水和卫生合作理事会

www.wsscc.org　本理事会通过连续的需水管理和节水活动支持网络建设和技术团体。

聪明用水

www.awwa.org/waterwiser　由美国水工程协会赞助,被认为是有关用水效率和节水的第一互联网网站。它包括产品和服务目录,有关节水的参考资料以及与其他节水网站链接。

澳大利亚丫瑞谷水利公司

www.yvw.com.au 这是一个水利公司网站,上面登有节水和管道服务的信息,同时也是一个水利学校。

韩国总统金大中在
韩国 2000 年世界水日
开幕式上发言

新加坡的宣传海报

韩国的节水吉祥物

联合国儿童基金
会在中亚地区倡导的
有关节水运动的漫画

泰国的和尚在学习节水知识

泰国某省立学校举办的节水巡回展

日本东京水务局倡导节水活动的吉祥物

新加坡节水运动中使用的
关键信息

在 2000 年世界水日斐济采用的标语

以色列提高用水效率活动的吉祥物

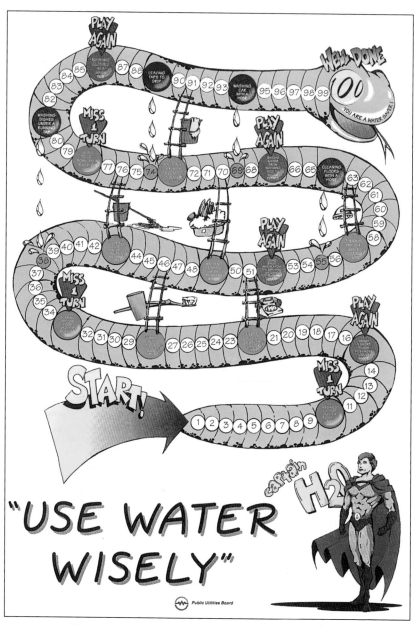

新加坡为儿童制作的学习如何节水的棋盘游戏

그린훼밀리운동연합에서는 2000년 세계 물의 날 (3월 22일)을 맞이하여 『물나라 방울왕자』 만화 감상문을 공모합니다. 어린이 여러분의 적극적인 참여를 부탁드립니다.
(연락처 전화 02) 732-0890, FAX 02) 732-0896)

韩国 2000 年
世界水日的标识

印度真奈提倡雨
水的收集和利用

表现咸海问题的海报——"水都去哪儿了？"

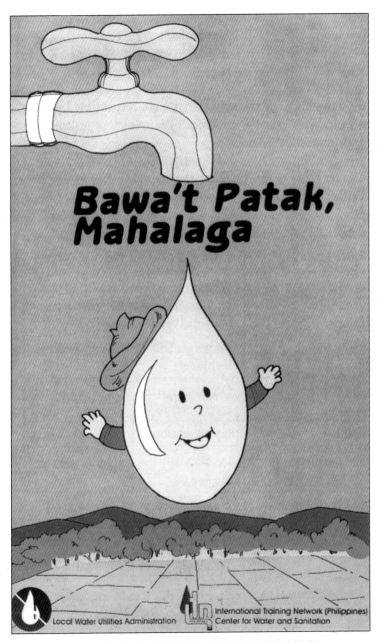

菲律宾在一些市镇举办提高用水效率活动的吉祥物

新加坡为学校老师举办的节水课

新加坡的学生在参观水处理厂并观看水处理试验

IÝUL 2000

DUŞENBE	3	10	17	24	31
SIŞENBE	4	11	18	25	
ÇARŞENBE	5	12	19	26	
PENŞENBE	6	13	20	27	
ANNA	7	14	21	28	
ŞENBE	1	8	15	22	29
ÝEKŞENBE	2	9	16	23	30

11-nji Iýul - Ýurdyň ilaty güni
16-nji Iýul - Galla baýramy

Guseýnowa Agilýa. mekdep №47

TURKMENISTANYŇ DAŞ-TÖWEREGI GORAMAK BOÝUNÇA MILLI MAKSATNAMASY

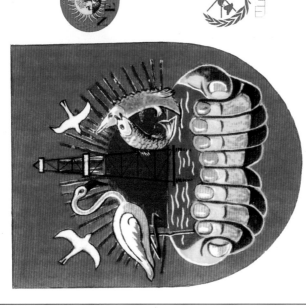

土库曼斯坦以水资源保护为主题的儿童画制作的日历

日本东京使用的节水不干胶标签

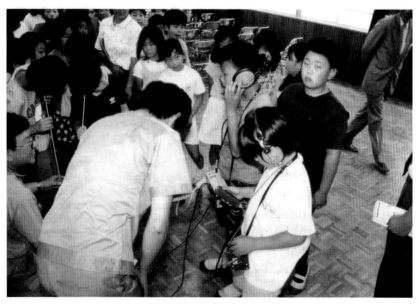

向学校学生演示渗漏探测设备的使用（日本）

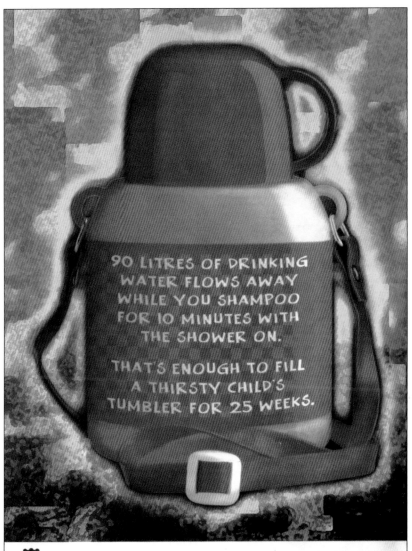

90 LITRES OF DRINKING WATER FLOWS AWAY WHILE YOU SHAMPOO FOR 10 MINUTES WITH THE SHOWER ON.

THAT'S ENOUGH TO FILL A THIRSTY CHILD'S TUMBLER FOR 25 WEEKS.

TURN IT OFF. DON'T USE WATER LIKE THERE'S NO TOMORROW.

 PUBLIC UTILITIES BOARD

新加坡开展的"请关紧水龙头"活动的海报

新加坡儿童教育材料中的连环画英雄——水（H_2O）队长

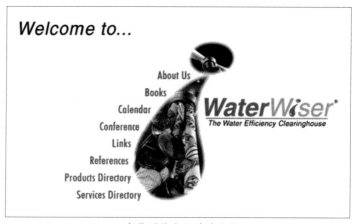

一个典型节水网站的主页

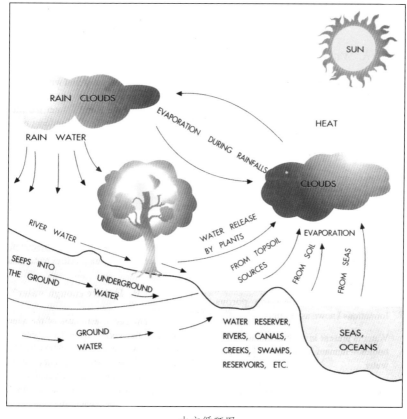

水文循环图

HOW MUCH DO WE USE?

Can you work out how much water each family uses around the house in a day and a week?

The Water Wise family 4 people live in their house	The Water Waster family 4 people live in their house
1. Each person takes a shower every day. How much water do they use: a) every day? .... b) every week?	**1. Each person takes a bath every day.** How much water do they use: a) every day? .... b) every week? ....
2. Each person cleans their teeth twice a day using one litre of water each time. How much water do they use: a) every day? .... b) every week?	**2. Each person cleans their teeth for three minutes and leaves the tap running. How much water do they use:** a) every day? .... b) every week? ....
3. The family fill the washing machine and use it once, three days a week. How much water do they use: a) on each washing day? .... b) every week?	**3. The family half fill the washing machine and use it every day of the week. How much water do they use:** a) on each washing day? .... b) every week? ....
4. Fill the watering can five times every day to water the garden. How much water do they use: a) every day? .... b) every week?	**4. Use the hosepipe for 15 minutes every day to water the garden. How much water do they use:** a) every day? .... b) every week? ....
5. How much in total does the whole Water Wise family use: a) on a washing day? .... b) every week?	**5. How much in total does the whole Water Waster family use:** a) on a washing day? .... b) every week? ....

facts

5 minute shower	=	30 litres of water
1 bath	=	90 litres of water
hosepipe	=	500 litres of water per hour
watering can	=	4 litres of water
washing machine	=	95 litres of water
running tap	=	10 litres of water per minute

Thames
Water

Thames Water
PO BOX 436
Swindon SN38 1TU
0845 9200 800

www.thames-water.com/waterwise

英国针对 9~13 岁孩子的有关用水的测验（详见正文附框图 1-2）